JN034529

広中俊雄著

契約法の研究

〔増訂版〕

有斐閣

≪はじめに≫

◇法に関する学問は長い歴史をもっており、その歴史を通じて幾たびか、それに携わる人々は、それの転換を招来すべき重大な問題の前に立たされてきたが、今日それに携わる人々が当面している重大な問題の一つは、彼らが、実践に奉仕することを直接に目的とする法解釈学と、社会現象としての法現象——法の解釈という人間の実践行動それ自体もその中にふくまれるところの——の科学的分析を目的とする学問（かりにこれを法社会学とよぶことにする）とに、同時に携わらなければならないという事態に直面して、この二つをどのように遂行してゆくべきか、という問題である。私もまた、民法学に携わるものの一人として、この問題の前に立たなければならなかった。本書は、私が契約法の分野で多かれ少かれ右のような問題意識に支えられつつ自分なりの試みとして発表してきた論稿をまとめたものである。

◇本書は第一部と第二部とに分けられる。第一部は純粋に理論的な問題を扱うもので、ここに収める論稿は、法社会学的研究それ自体を志向したものである。それに対して第二部は、いわば応用問題を扱うもので、ここに収める論稿では、もしこういう言い方がゆるされるとすれば、法社会学的研究と法解釈学との結びつけを試みることが主眼となっている。

◇本書をまとめるに際しては、特に註の整備を心がけた。註は各論稿で番号を通し、一、二、……の区分ごとに一括してある。各論稿が最初に発表された時期などについては「あとがき」を参照。

◇第三版で第一部の第二稿と第二部の第三稿とを増補したが、従前からの所収論稿（一—一七四頁）の頁数は変わらないように工夫し（増補は一七五—二五四頁）、旧版のあとがきの頁数が変わるだけにとどめた。

法社会学研究ノート Ⅱ

目　次

第一部

第二部

第一部

第一　契約および契約法の基礎理論

——有償契約と無償契約との区別をめぐって——

一

近代社会において「契約」がはたしている社会的機能は、きわめて大きい。イギリスに資本主義の「黄金時代」が訪れていたころ、かのメインが言った「われわれは、進歩的な諸社会の推移はこれまでのところ身分から契約への推移であった、といいうるであろう」という言葉(1)は、そのことの簡潔な表現であった。日本の法律学者の言葉から例をとるならば、たとえばつぎのようにいわれる。「近代法においては、契約はすべての——少なくとも私法的な——社会関係を設定する要件とされる。これを離れた客観的な秩序はない(2)」。

ところで、これらにおいて考えられている契約というのは、一体どのようなものなのであろうか。契約とは何かと問われた場合に、法律家は、たとえば——日本では——「互に対立する二個以上の意思表示の合致（合意）によって成立する法律行為で債権の発生を目的とするもの」[3]というふうに定義するであろう。そして、「たとえば贈与とか売買とか交換とか消費貸借とか使用貸借とか賃貸借とか……」というふうに例をあげて、さらに、いわゆる非典型契約の説明をするかも知れない。しかし、近代社会における契約の機能が語られる場合に問題となっているのは、そのような契約のすべてなのであろうか。

このようなことを反省した場合には、少くとも、かの「有償契約」と「無償契約」との区別を、誰しも思いうかべないわけにはゆかないであろう。そして、たとえばヘーデマンのつぎのような説明、つまり、交換から説きおこして売買・賃貸借〔用益賃貸借〕・雇傭・請負に言及したのち「個々の人間はそれぞれ契約法のこの経済的な網の目の中に編み入れられている。彼が乞食をして歩くときですら契約法は贈与の形で彼に相対しているのである」とするような説明[4]は、必ずしも適切なものではないということに、気づくであろう。事実、近代社会における契約の機能が語られる場合に、問題となっているのは、少くとも贈与のようなものではないのであって、ヘーデマンの説明に即していえば、それは売買であり賃貸借であり雇傭であり請負であるといわなければならないのである。

「有償契約」と「無償契約」との区別は、種々に試みられる契約の分類のうちの一つであるが、しかもそれは、これらのうちで基本的な重要性をもつものである。そして、少くとも、いわゆる実定法学者にとっては、この区別をどのようなものとして把握するかということは契約および契約法を扱う場合の基本的な課題とならざるをえないといっても過言でない。しかし、そのことは、いわゆる実定法学者にだけあてはまるものではありえないであろう。（たとえば日本の）契約法を説明し解釈し批判しようとする者であれ、また、契約の機能を論じようとする者であれ、はたまた、契約および契約法における理念といったようなものを問題にしようとする者であれ、ともかく、およそ契約および契約法を扱おうとする者にとってはすべて、「有償契約」と「無償契約」との区別をどのようなものとして把握するかは、避けて通ることのできない課題であると考える。

問題の正確な把握の上に立っていないために批判の余地をのこすこととなったような論述の例は、決して乏しくないように思われる。さしあたり、法解釈学上の問題だけに関連をもつのでないような例を、ここにあげてみよう。たとえば、かのH・ミッタイス、法哲学に関連をもつような論著も一、二にとどまらないところの、この卓越した法史学者において、「共同体関係――相隣的援助・ゲノッセンシャフト的義務等々」に起源をもつところの諸契約における Treumoment つまり「忠実」というモメントが、漸次、交換型契約（Austauschverträge）へも「滲透」して行って遂に全債務法を支配するようになった、というふうな理解の仕方がなされているが、(5) このような理解の仕方が根本的な点で批判さるべきものをもっていないのかどうかについて全面的に論ずることは当面これをひかえるとしても、彼が「共同体関係」に由来するものとして第一にあげた使用貸借を例にとってみるとき、「無償契約」としての使用貸借における Treumoment と、「有償契約」たる交換型契約（売買であれ賃貸借であれ）に内含されており且つ現在の全債務法を支配しているあるものとの間に、いわば質的な同一性を想定するような議論は、一体、批判の余地のないものであろうか。上記のような理解の仕方をした彼が、同時にまた、「〔契約〕当事者は一つの債務共同体を形成するのであり、彼らは契約協同者〔Vertragspartner〕なのであって契約対立者〔Vertragsgegner〕ではない」とか「すべて債務関係は共同体の利益を忘るべきではない」とかいうふうに論ずる[(6)]——主張する——人でもあったことは、偶然ではないというべきであるが、しかし、われわれは、この論述の中に、旧時の（ナチス時代の）ドイツおよび日本におけるかの「団体主義」的契約観、つまり、それに傾倒した日本の一法学者の言葉を借りれば、契約当事者を「利益対立者としてではなく利益協同者として」把握し、「各人の利己心の発動を共同の目的に結付け、協同態の役割の中に組入れ」ようとする契約観[(7)]、と共通なものを看取させられて[(8)]、黯然たらざるをえないのではあるまいか。右に掲げたミッタイスの「すべて債務関係は共同体の利益を忘るべきではない」という主張には、直ちに、「これは信義誠実〔Treu und Glauben〕（BGB § 242）が守られているかどうかの問題を考える際にも同時に顧慮さるべきである」という（より明瞭に実践的な）主張[(9)]が続くのであるが、このような主張の背後に、「共同体関係」に起源をもつところの諸契約における Treumoment を近代契約法全体の基礎に据えることが理論的に正しいかどうかについての無反省、まさにそれと関連して、交換型契約ないし「有償契約」は「無償契約」とどのように異るものであるのかということについての無理解（それは結局、契約および契約法の発展の歴史的把握が正しくなされていないことを意味している）が存在してはいないかということを感ずるとき、われわれは、「有償契約」と「無償契約」との区別に関する問題を検討することの必要性を、あらためて痛感するのである。

ミッタイスにおいては、そのいうところの Treumoment が契約法の歴史的発展を貫いて近代契約法に至っているという理解がなされており、契約当事者は一つの「共同体関係」を形づくるのであり「共同体」の利益を忘るべきでないという命題がいわば超歴史的なものとして語られているのであるが、よりしばしば超歴史的なものとして語られる命題——本稿に関連もあるところの——に 'pacta sunt servanda'（合意は守られなければならない）なる命題がある。(10) 最近の例をあげると、たとえば、「人間が……天賦自然に体得している自明の素朴的な道徳原理……の中で社会生活に関するものとしては、第一に『各人に彼のものを与うべし』という積極的義務、第二に『何人に対しても不正を行うべからず』という消極的義務が存在する。これらの根本的義務の必然的な論理的帰結として、『殺すなかれ』……『契約は守らなければならない』というような規範が導き出される。これらの規範は時代と場所とを通じて変らない、普通人類的原理である。何となればそれは普遍的な人間性に根拠をもっているからである」(11)とするごときである。しかし、われわれは、上記の命題の中に、何よりもまず近代的な契約意識を読みとるべきものなのではなかろうか。そうすることによってのみ、たとえば、「わが国の農村の人々……にとっては、自分らのせまい協同体の外の人との契約は、決して『契約なるゆえに』絶対的に守らねばならぬものではない。……手付けをうけとったときにだけ、絶対の拘束力ある契約が意識される。手付のない契約をしておきながら、約束違反をとがめることは、『わけの分らぬ奴』とされる場合が多い」(12)というふうなことの意味も、的確に理解しうることになるのではあるまいか。しかも、契約法の発展を推進し来り且つ近代契約法の本体的部分を現に形づくっているものはほかならぬ「有償契約」ではないのかということを検討し、またそもそも「有償契約」とは何かということを分析してみるとき、われわれは、右の命題の中には何よりもまず近代的な契約意識が表現されているのだということのみを確認しうるにとどまらず、同時に、そこに表わされているような契約意識も実は「有償契約」の基礎の上に成立しえたものであるということを知るであろうし、そのことから、さらには、たとえば日本の民法典が「書面ニ依ラサル贈与ハ各当事者之ヲ取消スコトヲ得」と規定している(第五五〇条本文)のも決して「普遍的な人間性」を無視したためではないこと、むしろ、「苟も約束をした以上常に必ず法律的拘束力を認むべしと言ふやうな議論」は「机上の空論(13)」といわれても仕方がないのだということに、気づくに至るのではないであろうか。

以上、「有償契約」と「無償契約」との区別の重要性に関連する若干の問題を簡単に示唆してきたわけであるが、本稿の重点は、こうした問題を全面的に論ずることよりも、むしろ、その前にしておかなければならない基本的な問題の考察――いわば一つの準備作業――をなすことにある。すなわち、簡単に述べると、本稿は、まず、契約法発展の中心的な担い手はどのような型の契約であったかということを歴史的事実の中に追及し(二)、ついで、そのことの把握を基礎としつつ、近代契約法の社会的基礎の分析とあいまって、'pacta sunt servanda' なる命題についての考察を試みる(三)。以上の過程で、人が「有償契約」という言葉をもって表わそうとしているのはどのような契約なのかも、明らかにされるであろう。そこでさらに、それに対応して、「無償契約」とはそもそもどのような契約なのかということの検討に進む(四)。以上のような論述をとおして、「有償契約」とよばれるものと「無償契約」とよばれるものとの差異とはどのような差異であるのかということを明らかにするのが、さしあたり本稿の目的なのである。そこからさらに進んで論究されてゆくべき問題については、最後に簡単に論じてはおく(五)が、立ち入った論述はこれを他の機会にゆずることとする。

(1) Henry Sumner Maine, Ancient Law, 1861, ch. 5, fin. この言葉をめぐる種々の議論については、今は言及をひかえておく。——なお、本書においては、特にことわらないかぎり、引用文中の傍点は原文で傍点、イタリックまたはゲシュペルトになっている部分であることを示す。但し原文のそのような部分にすべて傍点を附するとはかぎらない。

(2) 我妻栄『債権各論』〔上巻、昭和二九年〕一一頁。もちろん、「だからとて、資本制社会の法の基本的構造がもっぱら契約によって構成されているのだと誤解されてはならない。契約は、私的所有権の動的な社会的な『側面』にすぎず、究局の基礎・起点は私的所有権そのものなのであるから」（川島武宜『所有権法の理論』〔昭和二四年〕三〇頁）。——なお、本稿は社会主義社会にまで視野をひろげないが、そこでの問題の展望を与えるものとして、藤田勇「ソ同盟における無償契約の法的規制——一つの覚書」（比較法学会編『贈与の研究』〔昭和三三年〕一六九頁以下）参照。

(3) 有斐閣版『新法律学辞典』〔昭和二七年〕二二三頁。われわれがいう「契約」は通常この範囲のもの——いわゆる債権契約——である。

(4) Justus Wilhelm Hedemann, Schuldrecht des bürgerlichen Gesetzbuches, 3. Aufl., 1949, S. 10 f.（引用文中、傍点は広中。「契約法」とした言葉は原文で Schuldrecht にあたるが、ここではあえてこの訳語をあてておいた）。

(5) Heinrich Mitteis, Deutsches Privatrecht, 2. Aufl., 1953, S. 105. なお、今ここで Treue の語

を「忠実」と訳したが、訳語は「信」とか「信義」とか「誠実」とかであってもさしつかえないのであって、重要なことは、ここでの Treue が「共同体関係」に結びつけて理解されたものだということである。

(6) Mitteis, a. a. O., S. 104.

(7) 引用は石田文次郎『契約の基礎理論』〔昭和一五年〕第二論文より（なお同書には、「債権関係を協同関係として把握するときには、当然に『忠実』と『信頼』との思想が」その関係の「基礎とな」るという言葉が、一度ならず出てくる。そして、まさにそれとの関連で、Treu und Glauben つまり信義誠実の原則が高唱されている）。当時のドイツでは、Heinrich Stoll (e. g., Gemeinschaftsgedanke und Schuldvertrag, Deutsche Juristen-Zeitung, 1936, S. 414 ff.; Vertrag und Unrecht, 1936), Karl Larenz (e. g., Vertrag und Unrecht, I, II, 1936/7) 等があげられよう。なお、この種の契約「理論」に対する——それが適用さるべき最も重要な場合に即して試みられた——批判の一例として、最近では、Rudolf Schneider, Zur Theorie über den Arbeitsvertrag im Kapitalismus (Festschrift zum 40. Jahrestag der Grossen Sozialistischen Oktoberrevolution, S. 435 ff.), 1957, S. 474 ff. 参照。

(8) この点に関し、世良晃志郎「『ゲルマン法』の概念について(二)」法学一九巻〔昭和三〇年〕三八頁、参照。

(9) なお、Larenz, Lehrbuch des Schuldrechts, I, 2. Aufl., 1957, S. 4, 22, 88 Anm. 1 および註7を参照。——ここではさしあたり、BGB第二四二条をその一例とする「一般条項」についてはヘーデマン (Hedemann, Die Flucht in die Generalklauseln, 1933) によって示唆されたかの懸念と警告が

——一応（Franz Wieacker, Privatrechtsgeschichte der Neuzeit, 1952, S. 287 Anm. 11; do., Zur rechtstheoretischen Präzisierung des §242 BGB, 1956, S. 9 f. 参照）——聴かれなければならないことを、指摘しておくにとどめよう。

（10）ここでは、この命題は contractus ではなくて pacta を問題にしているという点に注意したい（ちなみに註23後段を参照）。——本稿では、いうまでもなくこの命題を私法上の問題として扱うのであるが、しかも、たとえば、いわゆる事情変更の原則との関係で問題にしようとするのではない。

（11）田中耕太郎「法における保守性と進歩性」ジュリスト九七号〔昭和三一年〕一二頁。もちろん、これは最近の一例にすぎない。これと同種のものは、'pacta sunt servanda' なる命題の理由づけを試み契約における拘束力の根拠を説明しようとしたおびただしい文献（たとえば Fritz von Hippel, Das Problem der rechtsgeschäftlichen Privatautonomie, 1936, S. 89 Anm. 25, S. 98 Anm. 13——S. 106 ff. の論述は今ここに論及のかぎりでない——にそれらが抄録してあるが）の中に、数多く見出される。

（12）川島「遵法精神の精神的および社会的構造（二）」法学協会雑誌六四巻〔昭和二一年〕五三六—七頁。

（13）末弘厳太郎・法律時報一一巻〔昭和一四年〕三二〇頁（→同『民法雑記帳』〔昭和一五年〕一五四頁）（なお註43末段を参照）。ちなみに、民法典の起草委員の一人であった梅博士によれば、「……当事者ノ利益ヲ保護センカ為メニ其自由契約ニ干渉スルカ如キハ文明国ノ法律ノ最モ忌ムヘキ所ナルカ故ニ新民法ニ於テハ断然旧民法ノ主義ヲ改メ贈与モ亦之ヲ諾成契約ト」した（梅謙次郎『民法要義巻之三』〔増訂、明治三八年〕四六三頁）のであり、第五五〇条は「贈与ヲ以テ要式契約トセル学説ノ遺物」（同、四六四頁）

であるということになっている。しかし、贈与を諾成契約として規定するに至らしめた要因は、このような「自由契約」尊重の思想だけではなかったように思われる。贈与の節の起草を担当した穂積陳重博士が衆議院（第九議会、明治二十九年）で民法修正案審議の際に述べたところによれば、「贈与は人民日常の生活上には余程沢山ある事柄なるを以て一定の方〔式〕を履まざれば成立たずと云ふは不便なりと思ひ……五百四十九条〔＝現在の第五五〇条〕に於て幾分か通常の契約に制限を置きしのみにした」（『民法修正案理由書』附録・法典質疑要録、二四七頁）のであって、旧民法の扱い方を改めてこの程度の制限をおくにとどめたのは「余程贈与と云ふものを保護し成立たせる精神にして是より寛なるは余り例を見ざる」（同、二四八頁。傍点は広中）ところだというわけであった。そして、穂積博士をして上記のような「精神」を云々せしめたところのものは、法典調査会における同博士のつぎのような言葉によって明らかにされている。「……贈与ト申シマスルモノハ諸国ノ法律ニ於キマシテハ甚タ之ヲ軽ルイモノト見テ居ルヤウニ見へマス……併シ乍ラ或ハ親切上友誼上其他正当ナル情愛カラシテ出マスルモノモアリマスルシ又ハ社会上ノ義務、公ニ対スル義務、徳義上、交際上ノ義務カラシテ贈与ヲ為シマスル場合ガアリマス又ハ大変他人ニ恩ニナル夫レニ酬ヒマスル為メニ贈与ヲ致ストカ随分此贈与ト云フモノガ一ツノ権利義務ヲ動カシマスルモノトナッテ現ハレルニ付テハ矢張リ代価カアレハ非常ニ保護シ其他ニハ保護カ薄イトカ云フヤウナ風ノ主義ハ吾々ハ採リマセヌ或ル場合ニ於テハ贈与テモ中々売買抔ヨリハ重モイ場合モアリ得ルト吾々ハ考へテ居リマス」（日本学術振興会謄写『法典調査会民法議事速記録』二五巻一五一丁）。この言葉の中には、日本における伝統的な贈与観（「恩」および「義理」の観念と結びついたところの）の片鱗が語られているのであるが、おそらくこのような贈与観と「自由契約」尊重の思想とが相俟って、「断然……贈与モ亦之ヲ諾成契約ト」し、「是より寛なるは余り例を見ざる」ほど「贈与と云ふものを保護し成立たせる」ような贈与の取扱をもたらしたのであった。日本の贈与法における上記のような二つの要因を指摘した論文として、来栖三郎「日本の贈与法」(比較法学会編『贈与の研究』〔昭和三三年〕一頁以下)参照。

二

はじめに、契約法発展[14]の中心的な担い手はどのような型の契約であったかという問題(当面われわれが問題にするのは、社会関係としての契約関係の型である)であるが、われわれは、われわれの民法典における契約法と深い関係をもつもので歴史的に最も古いローマ法から、検討をはじめることにしよう。もっとも、本稿では、われわれの契約法と深い関係のあるかぎりにおいてそれを検討するにとどめる。時代的にいうならば、少くとも、かの万民法(ius gentium)の生成・発展をみた時代より前は一応これを視野の外におこうとするわけである。イエリングがローマ法についてローマの世界支配を語り、ギールケが債権法の領域における——他の領域におけるとは比較にならないほど完全な——ローマ法の勝利を語った時、[15]それぞれの念頭にあったのも、その時代以降に培われたローマ法であった。

ローマにおける契約法の発展を顧みて最初に注目される最も重要なものが、万民法上の制度として出現した「諾成契約」(contractus consensu) であることは、おそらく誰も争わないところであろう。おおまかにいってローマは紀元前四世紀ないし三世紀半ばごろまで、商品・貨幣経済の発達が未だ成熟しない小農経済の社会であったが、そのような基礎の上において、それまで、ローマ契約法は厳格な形式主義の支配するところであった。万民法上の諸制度の生成・発展は、その後におけるローマ経済の発展に照応するものである。新しい時代の招来の上に大きな役割を演じたものはかのポエニ戦争で、特に紀元前三世紀の最後の二十年間における第二ポエニ戦争を終ってローマがカルタゴに対する覇権を確立するや、ローマ社会の変革は年をおって露わとなり、ローマ国家の内部には、一方では、門閥・大土地所有者から成る富貴階級 (nobiles) と、商業の発展の中心的な推進者として登場し且つ紀元前二世紀後半以降その政治的勢力を増大して行った騎士階級 (equites) とを包含する「有産者」層(その内部的構成には時代に伴う変遷があった)が出現すると同時に、他方では、大量の無産者大衆が作り出されるに至ったのであるが、ローマ社会のそのような変革をもたらした基本的要因は、ローマ経済の飛躍的な発展、つまり簡単にいえば、ラティフンディア経営の急速な発展と手工業および内外商業のいちじるしい興隆——また、それらの基底をなすところの大規模な奴隷制度の基礎づけ——であり、まさにこのような経済的発展に照応して、ローマ法の新しい発展、そして当面の問題であるローマ契約法の新展開——その最大の成果が「諾成契約」の法的承認なのであるが——も、おこなわれたのであった。

諾成契約というのは、要するに、それが拘束力を生ずるためには当事者の合意があるをもって足り、それ以外には象徴的行為も式語表示も証人の関与も証書の作成もまた物の引渡も要しない契約であって（近代契約法においてそれが原則とされていること——「契約方式の自由」——は周知のところであろう）、その法的承認がきわめて「早期に」なされたという点において「比較法史的に観察すれば、ローマ法はユニックな存在を示している」とされるのであるが、具体的にいえば、ローマ法が「諾成契約」として認めたものは、売買・賃約（これを locatio conductio rei〔賃貸借〕・l. c. operarum〔雇傭、実は人間の賃貸借〕・l. c. operis〔請負〕に三分するのが伝統的分類である）・組合・委任の四種である。そこで以下、これら四種の契約に検討の目を向けることにしよう。われわれの課題は、共和政時代後期におけるローマ契約法発展の最大の成果というべき「諾成契約」の法的承認を導いたのはどのような型の契約であったかを追及することであるが、われわれは、その時代における売買、賃約、組合および委任の機能を検討しながらそれを追及してゆくことにする。

まず売買であるが、この時代を通じて内外商業が発展すればするほど売買契約のはたす機能が重要性を増して行ったことはいうまでもないところで、これについては贅言を要しないと思われる。

つぎに賃約であるが、これがローマ社会で大きな社会的役割を演じはじめたのは、大体において紀元前三世紀の終りごろからであったといえよう。商業の興隆とともにローマの人口は急速に膨脹してゆき、貸家の建築や部屋の賃貸がさかんになって行ったが、さらに、公共の建築物や広場の造営、有産者層による邸宅や庭園の建設のため――共和政時代末期から元首政時代の最初の二世紀にかけて――極端に悪化して行ったローマの住宅事情は、一層この傾向を助長した。また特に、ラティフンディア経営や手工業の急速な発展が、あるいは――奴隷の売買とならんで――奴隷の賃貸借を必要ならしめ（時には自由人による「自己およびその労務の賃貸」をも必要ならしめた）、あるいはそこに諸種の請負企業（たとえば、大規模なものとして穀物やオリーヴや葡萄などの収穫の請負）を発生せしめ、あるいは大土地所有者による耕地の賃貸を発展せしめたことは、重要であって、以上のような趨勢が、賃約の機能すべき領域を急速に発展させる動因であったことは、疑うことができない。組合もまた、ローマの経済的発展とともに発展したものである。ローマ法における組合については、家長死亡後にその相続人たちが財産を共同にした場合のもの（consortium）――ローマ市民に特有の制度――がその「起源」であるというふうにもいわれているが、それはともかくとして、万民法上の制度として発展した各種の組合は、そのようなものとはその基盤を異にしたものであった。組合によって営まれた事業としては、徴税請負や軍需品調達のような「国家」の利益に直結するもののほか、さらに、奴隷売買や銀行業などのような私的営利活動も伝えられている。そして、以上のような諸契約は、公有物の売却、公有地の賃貸、公の土木建築や物資輸送の請負、徴税請負、軍需品調達のような「国家」の利益に直結する分野、ないし一般に、この時代における有産者層（法学者もまたこれに属していた）の主たる活動領域において大量的におこなわれたもので、そのことが、これらの契約の諸成契約としての法的承認と密接に関連していることは、いうまでもないのであるが、しかし同時にまた、これら三種の契約は、社会関係としての契約関係の型からいえば、個々の契約を取り出してみたとき各当事者の行為（給付）が相互に対価たる（あるいは対価的な）意義をもちつつ他の当事者のそれを条件づけ且つそれと離れがたく結びついているという構造をもつ契約類型であったということ[17]、そのような型の契約を一口に有償契約とよぶこととすれば、それらが有償契約であったということに、われわれは注意しなければならない。さて、そこで最後に、ローマ法上「無償契約」たることを原則とされた委任について検討しよう[18]。委任について考える上にきわめて示唆に富むのは、ローマにおける、ことにローマの法学者が属していた階級における、つぎのような「慣習」である。まず、共和政時代のローマにおいては、可能なかぎり友人（amicus）を援助することは人々の「義務」（officium）であると考えられており、人がその友人に援助を求めることは常に何らためらう必要のないことであった。またつぎに、ローマの社会生活において重要な地位を占めていたかの被解放者が、その保護者（patronus）の託した事務を処理することも、彼の「義務」と考えられていた。委任という行為は、原初的には、人々のそのような「義務」（実は amicitia なり patronatus なりから流出するものとしての）の領域においておこなわれたものなのであり、まさにそのことに照応して、委任は「無償」たるべきものとされたのである。ところが、もう一つ重要な事実として、ローマにおける貨幣経済の急速な発展とそれに照応する社会的分業のいちじるしい発展をみた時代に重要な社会的意義をもつものとして生まれてきたところの——したがってまた、さきに述べたような領域でおこなわれるものとは多かれ少かれ性格を異にするところの——ある種の職業的な労務提供行為は、賃約の対象となりえず、本来「無償」のものたる委任の対象とさるべきものであるという意識が存在していたことを、強調しなければならない（'operae liberales' の意識）。ローマ人は、弁護士、医師、教師などがその職業的活動において賃約を締結することはその高い社会的身分にふさわしくないことだとする契約観をもっていたのである。とはいえ、これらの人が現実にも常に「無償」の奉仕をしていたかというと、決してそういうわけではない。たとえばキケローにしても、弁護人として「賃借」されるようなことは拒否したにせよ、もっと下品でない形で報酬をうけることには何らのためらいをも感じなかったのであって、こうしたことからも明らかなように、これらの人が「任意に」提供される報酬をうけとっても、それは、彼らの品位を傷つけるものとは意識されていなかったのであった。弁護士としての仕事をなすことに対して報酬をうけとる行為は、紀元前二〇四年ころに制定されたキンキア法（lex Cincia）によって禁ぜられているが、そのことは、すでにこの時代に、弁護士が――法律上「無償」たるべきであったにかかわらず――報酬をうけとる例もあった、ということを示すであろう。[19] しかも、右のような禁止は帝政時代初期まで続いたが、「かかる禁止は実際には行われ」なかった。[20] かくして、われわれは、ローマにおける委任は、現実の社会生活においては必ずしも常に「無償」のものではなかったこと、というよりもむしろ、上記のような一定の職業的活動を目的とする委任関係においては、受任者のなす行為に対して委任者から報酬を提供することが――（換言すれば）そのような委任は有償契約であることが――社会的に期待されていたに相違なく、且つ一般に委任者からの報酬の提供は委任事務が最も望ましい仕方で処理されるためのギャランティとなっていたに相違ないことを、推測することができる。まさにそのようなものとして、それらの職業的活動はその社会的機能を充分にはたしえていたのであり、そのような分野でおこなわれる委任という行為に関するかぎり、それは、極言すれば、報酬の授受が「上品であるか下品であるか」の相違だけで賃約と異るものだったのであって、このことは、一定の職業的活動に従事する人たち（測量師、医師、弁護士、教師、助産婦など）の場合において、報酬をうけとることが時代とともに完全に慣例となり、遂には訴訟上の報酬請求まで認められるに至った事実からも、容易にいいうるであろう（もっともわれわれにとっては、そのような訴訟上の保護が第一次的な重要性をもっているわけではない）。ところで、諾成契約としての委任の法的承認を導いたのは、どのような委任関係だったのであろうか。もともと事務管理との区別も明らかでなかったところの、そして、何よりもまず法的制裁（リーガル・サンクション）の介入の必要性から本来的に遮断された関係としての友人関係あるいは被解放者・保護者の関係——一般的にいえばマックス・ウェーバーのいわゆる Brüder の関係——の基礎の上で存立しえたところの、原生的な「無償」の委任関係が、それを導いたのであろうか。これを肯定するために、そこにおける'fides'の契機をもち出すことは、ゆるされまい。それをもち出したのでは、たとえば使用貸借のようなものが諾成契約として保護されるに至らなかったことを説明するのに、何びとも窮せざるをえないであろう。ローマの経済的発展および職業の分化が進行するに伴って出現するに至った前記のような諸種の職業的活動を目的とする委任関係は、いわゆる Brüder の間のそれと異って、法的制裁の介入の必要性から遮断された関係をその基礎にもたない契約関係であったが、まさにこれらこそ、委任契約法の発展を推進し且つ諾成契約としての委任の法的承認を導いたものであったに相違ない。(21) このように考えてくるとき、われわれは、以上を通観して、共和政時代後期におけるローマ契約法発展の最大の成果というべき「諾成契約」の承認を導いたのは、当時のローマで重要な社会的機能をはたしつつあったものとしての有償契約たる売買、賃約、組合および委任であった、ということを知りうるのである。ただしかし同時に、この時代のローマの国家権力の担い手たちの階級——法学者たちをも包含するところの——がもっていた契約観は、それらの契約に対する法的保護の仕方に反映せざるをえなかった。現実の社会生活においては有償契約としておこなわれているような委任をも——自由人に値いしない労務(operae illiberales)を目的とする「卑しい」契約関係（locatio conductio operarum）から截然と区別して（たとえば弁護士と依頼人との契約を現行ドイツ法のように「事務の処理を目的とする雇傭契約または請負契約」の一種として扱うなどということは全く思いもよらないことであった）——「無償契約」たる原生的な委任と同一のカテゴリーに属するものとして取り扱い（そして委任契約一般が諾成契約とされた）、法的に保障さるべき報酬（報酬提供への社会的期待に対する法的保護を拒むことの不都合は時代とともに大きくなって行った）もこれを——通常訴訟手続ではなく——いわゆる特別訴訟手続によらしめることとしたのは、その現われの一つであったということができる。(22)

ローマ契約法における「諾成契約」の承認は、いうまでもなく、合意そのものが契約における法的拘束力の普遍的な根拠として意識されていたことを示すものではない。単なる無方式の合意（pactum）からはローマ市民間に訴権を生じないとする原則が、ローマ契約法の全発展過程を通じて固持されていたことは、そのことをものがたっている。なるほど、合意がすべての契約にとっての共通な要素であることは、すでに古典時代盛期の法学者によって明確に意識されていたとはいえ、しかも、それは、――すでにその時代にあっては四種の「諾成契約」の場合が例外として意識されていたが――、それ自体、契約における拘束力の根拠にまで高められはしなかったのであって、このような事態は、古典時代後にはこの要素がきわだって強調されるようになったにもかかわらず、なお最後まで――ユースティーニアーヌス帝の時代まで――根本的には何ら変化をみなかった。しかし、「諾成契約」の承認ののちは特に注目さるべきものがなかったのかというと、そうではない。ローマにおける契約法の発展を顧みるとき、注目さるべきものはもう一つある。古典時代後に進行しユースティーニアーヌス帝法で完成されたいわゆる無名〔要物（あるいは践成）〕契約（contractus〔re〕innominati）の承認が、それである。

右に無名契約の承認といったのは、要するに、当事者の一方がその約した給付を相手方に履行することによって（無名要物契約と称されるゆえん）相手方に反対給付の債務が生ずることの承認であり、古典時代後に個々の領域（たとえば交換）で進行して最後に完成された（一般的承認）ものであるが[23]、これは、古典時代における封鎖的体系としての contractus 体系とは別の、それと並ぶものとしての、また実質的にはそれを解体するものとしての、契約に対する法的保護の一つの新しい体系を、樹立したものであり、方式主義――問題となるのは問答契約（stipulatio）――から明白に離脱したものとしては contractus 体系を超えて一歩さらに――しばしばいわれるところにしたがえば「契約の自由」の方向に――前進したものであった。この新しい発展が新たな要物契約の発展としておこなわれたということは、この際、一応、注意されなければならない。それは、古代ローマ社会における商業資本の生成・発展の時代に生み出され且つその繁栄の時代を通じて社会的に最も重要な役割をはたした契約の形態である前述の「諾成契約」に対しては、ある学者がいったように一つの「後退」を示したものであるとみることもできよう。そして、このことは、二世紀にローマ商工業が衰微の時代に入り、二世紀を通じて漸次ひどくなった貨幣改悪も三世紀になって何ら改善のあとをみせず国家財政政策が年をおってますます自然経済的となり、貨幣財産の形成が妨げられるに応じて商業資本はいよいよ衰退し、商業交通は一般的に退歩して、かつての貨幣経済の隆盛が帝政時代後期におけるいわゆる自然経済の優越へと変移して行ったという、全体としてのこの時代の社会的な背景とともにのみ、正当に理解されうることである。しかし、それにもかかわらず、いわゆる無名契約の承認が上記のような意味においてローマ契約法の一つの重要な発展を示したものであったことは、否定することができない。また、われわれの民法典と関係の深いドイツにわれわれが眼を転ずるときにも、このいわゆる無名契約は重要な意義をもっていたことが知られる。いわゆる無名契約は、ローマ法継受後のドイツで、諾成契約として法的に保護されるものとなったのであった。では、いわゆる無名契約の承認というローマ契約法におけるこの新しい発展の担い手となったのは、どのような契約だったのであろうか。すでに記したところからもはや明らかなように、それは、ほかならぬ有償契約であった。

ローマ契約法についての検討は、そこにふくまれている問題の重要性のゆえに少し長くなったけれども、一応これで終ることにして、つぎに、すでにさきほどちょっとふれたドイツに目を転ずることにするが、以下では、ローマ法継受前のドイツにおける契約法の発展を、一瞥することとしよう。

中世末に至るまでのドイツ契約法の発展を貫く最も重要なものは、手附契約（Arrhalvertrag）の発展である。それは、有償契約の典型である売買の領域で最初に現われた（フランク時代）。手附契約の法的拘束力の承認は、何よりもまず、手附の交付によって受領者に反対給付の債務が生ずることの承認を意味している。したがって、ゲルマン時代における要物契約――物の授受によって物の返還または反対給付の義務を生ぜしめるところの――が手附契約になったというのは、しばしばなされる説明の仕方ではあるが、必ずしも正確な説明ではない。手附契約の出現する前には、交換・売買の領域で、反対給付の義務を生ぜしめるものとしての要物契約がおこなわれていたとされているが、まさにそのようなものとしての要物契約が手附契約に発展したのであって、ゲルマン時代にも使用貸借などの領域でおこなわれていたところの、物を返還する義務を生ぜしめるものとしての要物契約は、そのような発展の圏外にある要物契約であった。周知のように、手附契約における手附は時代を追って単なる象徴的なものと化してゆき、また手附契約は時代とともにそのおこなわれる領域を他の有償契約にも拡大して行ったのであるが、ドイツ契約法の発展過程において手附契約がもっていた意義はまさにそうした過程の中に見出される。中世後期に至ると、手附契約はきわめて広くおこなわれる重要な契約締結方法となったが、プラーニッツの言葉を借りれば、「中世後期における手附愛好は、債権契約における古い形式主義が荒廃してその除去の機が熟したことを示す」[24]ものであった。

契約法発展の中心的な担い手はどのような型の契約であったかを歴史的事実の中に追及しようという課題からすれば、われわれは、少くともさらになお、かの法形態の最も重要な区別を顧慮してコンモン・ローの国にも検討の目を向ける必要があるかも知れない。しかし、そこでの契約法の発展はわれわれの民法典における契約法に対して直接の関係をもったものではないし、また枚数を制限されている本稿では詳述の余裕もないので、問題となるべきイギリス契約法の発展については、そこで最も重きをなす「約因」(consideration)の理論の形成を導きつつ十六世紀中葉から十七世紀初頭にかけて大陸法諸国でいう諾成契約の法的承認に相当するものを確立して行ったところのものも結局は有償契約であったということを記すにとどめて、当面の課題を終ることにする。

(14) 以下につき、詳しくは拙稿「契約とその法的保護——その一」(法学協会雑誌七〇巻〔昭和二八年〕以降に分載〔未完〕)、参照。

(15) Rudolph von Jhering, Geist des römischen Rechts, I, 6. Aufl., 1907, S. 1 f.; Otto von Gierke, Deutsches Privatrecht, III, 1917, S. 4. ——もちろん、イギリス法との関係においては、そのような視角は問題にならない(ちなみに Paul Koschaker, Europa und das römische Recht, 1947, S. 81 Anm. 1 参照)。

(16) 原田慶吉『ローマ法の原理』〔昭和二五年〕三五頁。「諾成契約」は万民法上の制度として発展したものであるが、しかし同時に、包括的な告示に規定される以前に慣習法として発展したものであるところから、かの名誉法(ius honorarium)から区別される市民法(ius civile)——万民法に対する意味での原初的な市民法ではない——に属せしめられたことを、念のために附記しておく。

(17) ちなみに、これらの「諾成契約」は、この時代には、当時の法学者によってすら、意思の合致(合意)それ自体としてではなく、相互に条件づけあう行為の共働として、把握されていたと考えられている(たとえば Paul Collinet, The Evolution of Contract as illustrating the General Evolution of Roman Law, Law Quarterly Review, Vol. 48, 1932, p. 490 参照)。そこでは、契約における拘束力の根拠を人の「意思」にあるものとして構成するようなことは全く知られていなかった。

(18) この場合われわれは、できあがった法制度としての委任のみに眼を奪われてはならない。その意味において、たとえば最近では H. J. Wolff, IVRA, II, 1951, p. 260 sq. のような議論、およびそれが向けられた G. Grosso のような議論は、ともに問題の核心にまでふれていないように思われる。

(19) ヴィーアッカーによれば、この時代すでに弁護士は〔しばしば〕「恥知らずな」までの「法外な」報酬を収取していた（それがキンキア法――平民会議決――を導く機縁ないし口実になったと彼は推測している。Wieacker, Vom römischen Recht, 1944, S. 70, 72, auch 76 参照。また H. H. Scullard, Roman Politics 220–150 B. C., 1951, p. 16; なお拙稿・法学協会雑誌七五巻〔六号、昭和三四年〕七八一頁、参照）。

(20) 原田・註16所引書、五六頁（セネカは弁護士業者を「金儲け人」とさえ呼んでいる。同、五七頁）。

(21) この推測は、同時に、諾成契約としてその法的拘束力を認められるところの委任は、ローマ法における四種の諾成契約のうちでは比較的おそく現われたであろう、という推測に連なるものである（シュルツは、それを、四種のうちでは最後に現われたものとみている。See Fritz Schulz, Classical Roman Law, 1951, p. 554, also 525)。

(22) 「ローマ法の委任は、この方面にかけては何等特別の概念と規範を持たなかったドイツ法を完全に征服した」（原田『ローマ法』〔上巻、昭和二四年〕二〇〇頁）とされるが、ドイツ民法上の委任（＝無償契約）については、日本民法第六五一条に相当する §671 が常に強調されるほか、委任においては法的拘束力を生ぜしめることが意図されたかどうか――契約上の債権関係ではなくて単なる友誼関係が存在しているにすぎないのではないかどうか――を常に吟味すべく、また契約に基かないで友誼上生ずる債権関係は事務管理なのであると説かれることを注意すべきであり、同時に他方、ドイツ民法では「事務の処理を目的とする雇傭契約または請負契約」（本文でも示唆したように、このような把握はローマ法の知らないところであった）について別に規定がおかれていること（§ 675）を注意すべきである。

(23)　いわゆる無名契約にあたる場合を法学者は do ut des, do ut facias, facio ut des, facio ut facias の四類型に分けた。「反対給付の債務が生ずる」のでないにもかかわらず actio praescriptis verbis なる名称の訴権が附与されているということから「無名契約」の例として説明されるものもある（e. g. precarium）が、この点については、註14所引拙稿、法学協会雑誌七二巻〔一号、昭和二九年〕四五頁註76およびそれに対応する本文を参照。なお、いわゆる無名契約にあたる場合を contractus〔re〕innominati という総括的名称をもって把握したのは、ローマの法学者ではない。もともと彼らが contractus の名をもってよんだのは、contractus verbis, contractus litteris のほかでは、消費貸借・使用貸借・寄託・質を包含する contractus re および既述四種の契約を包含する contractus consensu だけであり、それらは、そのようなものとして一つの封鎖的な体系というべき contractus 体系を形成していた。そして他方では、'nuda pactio obligationem non parit, sed parit exceptionem' あるいは 'ex nudo pacto inter cives Romanos actio non nascitur' なる原則が妥当していたのである。

(24)　Hans Planitz, Grundzüge des deutschen Privatrechts, 3. Aufl., 1949, S. 134.

三

以上によって本稿は、かの有償契約が一般的に諾成契約として法的保護を保障されるに至った時代までの契約法の発展を概観し、契約法発展の中心的な担い手となったのは有償契約であったこと、そして諾成契約の法的承認も有償契約に直結したものであったことを、指摘してきたわけである。しかし、有償契約が一般的に諾成契約として法的保護を保障されるに至ったという事態は、単純に、有償契約における「有償性」それ自体によって導かれたのであろうか。そうではない。諾成契約の法的承認が有償契約に直結したものであったことは明らかであるにしても、すべての有償契約が歴史上つねに諾成契約として現実におこなわれ且つ法的に保護されたわけでないことは、いうまでもないのであって、有償契約が諾成契約として現実におこなわれ且つ法的に保護されるに至るということは一つの歴史的現象なのである。では、このような歴史的現象は歴史上どのような処において招来されたものであったといいうるのであろうか。

さしあたり、つぎのようにいうことができる。すなわち、有償契約が、かの市場現象を成り立たしめるもろもろの営利行為のためにおこなわれるものとして重要な意味をもつに至っており、且つ、そのような営利行為の背後に存在するところの「資本計算」がウェーバーのいった意味で「(形式的に)合理的」なものとなっている処において、それらの有償契約が諾成契約としておこなわれるに至ったのであり(25)、また所与の政治的社会にとってそこに存立している市場現象を保護することが不可欠のものとなったかぎりにおいて、そこで諾成契約としておこなわれている有償契約がそのようなものとして法的に保護されるに至ったのである。西ヨーロッパにおける近代資本主義の発展――右に述べたようなものとしての「資本計算の形式的合理性」を最高度に達せしめたところの――がそこに諾成契約をもたらしたのは、その典型的な場合であった。しかしそれだけではない。さきに記したローマの騎士階級は、ウェーバーの言葉によれば「全古代を通じて」みた場合「その合理主義を近代資本主義に比肩せしめうべき唯一の資本家階級」であるが、(26)この騎士階級の活動した時代にも――すでに述べたように――諾成契約は現われたのである。しかも、ローマ法学者が「比較法史的に……ユニックな」ものとするこの諾成契約は、帝政時代後期に上記のような条件が失われるとともに、現実の社会生活の平面からは消えて行った。(27)そしてまた、中世商業の発展が中世後期におけるいわゆる都市経済の黄金時代をもたらすに至ると、そこにふたたび、かの条件が成熟させられるに至るのである。(28)

ところで、われわれがこれまで問題にしてきたのは、つねに実定契約法であった。そして、実定契約法の発展の担い手となったのが有償契約であったことを、われわれは示唆してきたのである。ところが、これまでにみてきたような実定契約法の発展のあとをうけて、十七世紀以来、かの啓蒙期自然法論により、またさらにドイツ観念論の哲学者によって、'pacta sunt servanda' という契約一般に関する命題が唱えられ且つ繰りかえし確認されるに至ったことは、周知のところであろう。この命題は、本稿におけるこれまでの論述の線に沿っていえば、私法上、一切の契約は合意のみによって拘束力を生ずべく、すべて合意はただ単に合意であるという理由だけで守らるべきものであるということを、立言したものであるといえる。われわれは、この事態をどのように理解すべきであろうか。

われわれはさきに、有償契約が諾成契約としておこなわれるに至るための条件を指摘し、それが歴史上どのような処で現実に成熟しえたかを簡単に述べたのであるが、近代資本主義の発展によってもたらされたそのような条件の成熟と、それ以前にたとえばローマで存立しえたそのような条件の成熟とは、その規模において異ったものであったということ、については論及しなかった。しかし、今やこのことの検討が必要である。

さきに指摘したかの条件は、純粋に経済的な観点からいえば、要するに商品交換という一つの社会的過程が一定の高さにまで発展することによって、成熟しうるものである。そして、あの時代のローマにおいては、かの条件はたしかにそのようなものとして成熟した。しかし、そこでは、それが成熟したのは商品流通の世界においてだけだったのである。そこでは、商品の生産過程と流通過程とは分離していてただ外的にのみ連結しており、生産関係そのものを商品交換が媒介するという

(資本制社会に特有の) 現象は存在せず、生産過程をその基底において支えているのは奴隷所有者と奴隷との関係——「身分」によって構成される関係——であった(封建制社会についても同じような意義をもつ「身分」の機能が語らるべきことは、いうまでもない)。ところが、資本制社会においては事情が異る。資本制的生産および再生産は商品交換によって媒介されるのであり、資本制的生産様式が支配的なものとなるに応じて、他の一切の社会関係を規定する基礎的な関係としての生産関係は、今や商品交換によって媒介されるものとなる。かくして、従前のような「身分」の機能が容れられる余地は失われるに至り、「身分」的拘束から自由な、商品交換の法的形態としての契約が、今や、原則として一切の社会関係を構成する要素となるに至った(「身分から契約へ」)。そして、そのような基礎の上で、すでに述べたような条件が成熟したのである。だから、かの条件の成熟は、ここでは、それ以前におけるよりもその規模のはるかに大きいものであり且つ質的にも異るものであったということができる。もとより、上に述べたようなものとしての契約は、何よりもまず有償契約にほかならない。しかし、この時代には、「身分」的拘束から自由なものとしての「契約」、「身分」に対立するものとしての「契約」が、人々の意識の前面に現われていた。この時代に前近代的諸制限との対抗関係において眺められ且つ主張されたものが「自由な契約」一般であったことは、むしろ自然なことであったといわなければならない。'pacta sunt servanda' という命題は、そのような基盤の上に出現し且つ確立されたものとなって行ったのである。

このように考えてくるとき、'pacta sunt servanda' なる命題はどのように把握さるべきものであるかということも、おのずから明らかとなる。第一に、それは、すでに述べたように――われわれの問題の角度からいえば――一切の契約は合意のみによって拘束力を生ずべく、すべて合意はただ単に合意であるという理由だけで守られなければならないものであるということを立言した命題であって、われわれは、何らかの有形的なもの（物、発せられた特定の言葉、書面など）が契約における拘束力の根拠として意識されている場合に対し、そこに拘束力の観念性とも称せらるべきものを指摘しうるのであるが、このような事態は、資本制的生産様式の発展によってもたらされたものである。それ以前にも、上記のような事態に類するものが出現したことはあった。ローマにおける「諾成契約」の出現は、その顕著な例である。しかし、そこでは、商品交換の法的形態としての契約が原則として一切の社会関係を構成する要素にまでなるということはなかったのに照応して、それは、「単なる無方式の合意からは訴権を生じないという原則に対する例外」以上のものとはならなかった。しかも、そのように「諾成契約」を例外としてしか発展させなかった万民法は、ローマ人によって、「自然の理（naturalis ratio）」に基くものと観念されていたのである。中世において 'pacta sunt servanda' に類する命題が唱えられたこともなかったわけではないが、しかしそれは、全社会的規模において確立されるには至らなかったのであり、むしろそのような提唱は、近代になってからのこのような命題の強調を用意したという歴史的意義をもつものとして評価さるべきであろう。要するに、契約一般に関するものとしての'pacta sunt servanda'という命題は、資本制的生産様式を支配的なものたらしめたところの近代社会に至って商品交換の法的形態としての契約が原則として一切の社会関係を構成する要素となった時にはじめて、その確立さるべき基礎を与えられたのであり、その意味において、この命題の中に表現されているのは近代的な契約意識であるといわなければならない。この命題が、啓蒙期自然法論を代表する多くの学者により、一定の実践的命題を導き出すための「公理」(29)として掲げられた時、そこでは、すべて契約は合意のみによって拘束力を生ずべきこと――諾成契約の原則――を立言するというこの命題のもつ側面は、まだ充分には明確にされなかったように思われる。実質的にいって、この側面は、J・G・フィヒテが一般に契約の拘束力は一方の給付により相手方に対して生ずるものであると説いたのをヘーゲルが攻撃した時に、最も明瞭な形で確認された(30)。

しかし、第二に、かの'pacta sunt servanda'という命題は、近代社会に至って、商品交換の法的形態としての契約が原則として一切の社会関係を構成する要素となったのに応じて、確立されて行ったのであり、その意味において、この命題に表わされている契約意識は、さきにも示唆しておいたように、有償契約に結びついたものである。この点は、たとえば近世自然法の父と称せられるグローチウスにおいても、彼が、合意の守らるべきことは自然法によるものであるとするに際して、人間の間では必然的に相互に義務づけあうところのある態様が存在し且つ他のいかなる自然な態様も考えられないからであると[31]説明した時、無意識のうちに肯定されていたといってよいであろう。ホッブズ、すなわち、権利の相互的譲渡をもって「契約」(contract)とよび且つ一方または双方において将来における履行が約された場合につき「合意」(pact, covenant)あるいは「約束」(promise)のような語を用いて記述を進めつつ、「合意」の守らるべきは自然法に属するとなしその不履行をInjustice とよぶ一方、権利の譲渡が相互的でない場合に対しては「契約」の語を排して「贈与」(gift)・「恩恵」(grace)のような語を用い且つこの場合には過去または現在の行為に重きをおいて記述を進めつつ、先行の「恩恵」に対する Gratitude を内容とするところの自然法について語ったホッブズ[32]においては、右の点はもっとはっきり表わされているように思われる。そして——われわれはこれ以上そのような検討を続ける余裕はないが——一般的にいえば、たとえそのことが全く明らかでない場合にも、無意識のうちに有償契約を念頭におきつつ人は 'pacta sunt servanda' について語ってきたのであった。この命題に表わされているような契約意識は有償契約に結びついたものであるということから、そのような契約意識の実体をなすものもまた明らかとなる。資本制社会において構造的に必然性をもって作り出されるところの、商品交換の法的形態としての契約は、すべて究極的には価値法則の必然性にほかならないところの経済的強制によってその実効性をギャランティされているのであって、しかも、この（いうまでもなく商品交換の法的形態としての契約の全存在——一定の契約の締結とその履行——を規定しているところの）経済的強制は、「経済上の自由主義」が攻撃されるに至るまでの時代には、単純に人間の「自由な意思」を媒介として実現され、それが「競争」における（いわば）一つの自然的過程として現われたのであり（「契約自由の原則」という法律家的表象の成立しえた根拠はそこにある）、そのような基礎の上で、人間の意識の面においては、契約は自らの「自由な意思」の命令に基いて「ただ単に契約であるという理由だけで」これを守らなければならないという意識が生ぜしめられることとなったのである。このような意識は、カントが kategorischer Imperativ の名をもってよんだところの規範意識にほかならない。事実、カントは、契約の守らるべきことを述べる際に kategorischer Imperativ を持ち出しているが[33]、これは、かの経済的強制がその主観的側面において上記のように「自由な意思」の命令として現象するということに照応したものであった。

（25）　ウェーバーの表現を借りていえば、諾成契約としてのそれらの有償契約の formale Unverbrüchlichkeit が、各当事者の期待する要素となり、この点に関していちじるしく厳格な観念を躾けるところの市場倫理（Marktethik）の内容をなすに至るのである（Max Weber, Wirtschaft und Gesellschaft, 4. Aufl., 1956, S. 383〔1.～3. Aufl., S. 365〕参照）。

(26) Weber, Wirtschaftsgeschichte, 2. Aufl., 1924, S. 286 参照。

(27) 註14所引拙稿、法学協会雑誌七二巻五二頁註87および註88に対応する本文を参照。

(28) すでに、いわゆる後期註釈学派（その研究対象となったのは、まず第一には註釈附ローマ法であったが、同時にそれは、現実におこなわれているランゴバルド法、都市法を大いに参照し、また 'solus consensus obligat' の命題を確立して行ったかのカノン法をも顧慮してその世俗裁判所への導入を媒介し、このような仕方で、十四、五世紀にかけてローマ法の実用化を導いた）の巨擘バルトルス（十四世紀半ばすぎまで活動した学者で、その派に属さない者は法律家でないとさえ称された）が、商事裁判所において無方式の合意を法的拘束力なきものとするのは衡平に反するという見解を述べており、以来このような見解が一般的なものとなって行ったことを、想起すべきであろう。

(29) Z. B. Walther Burckhardt, Die Organisation der Rechtsgemeinschaft, 1927, S. 5 Anm. 1; Mitteis, a. a. O., S. 116.

(30) Georg Wilhelm Friedrich Hegel, Grundlinien der Philosophie des Rechts, 1821, § 79 参照。フィヒテの見解（Beiträge zur Berichtigung der Urtheile des Publicums über die französische Revolution, 1793, Johann Gottlieb Fichte's sämmtliche Werke, hrsg. von I. H. Fichte, VI, S.

112 ff.）は、それをふくんだ彼の論述の志向および彼の哲学との関連において考察されなければならないが、しかし、ともかく彼は、給付以前の拘束力は、Naturrecht の問題ではなく Moral の問題にすぎないと明言している。フィヒテと同様の考え方は他にも存在していた（たとえば同時代のものとして――直接それを参照しえなかったが――Madihn, Naturrecht, 1789, § 108. なお Franz Hofmann, Die Entstehungsgründe der Obligationen, 1874, § 16 参照）。

（31）Hugo Grotius, De jure belli ac pacis, 1625, Prolegomena, 15（……necessarius enim erat inter homines aliquis se obligandi modus, neque vero alius modus naturalis fingi potest……）. なお同書第二巻の第十一章二―四、第十二章二と第十二章三、七とを比較分析せよ。

（32）Thomas Hobbes, Leviathan, 1651, pt. I, ch. 14, ch. 15 参照（covenant は pact と同じ意味に用いられている）。

（33）Immanuel Kant, Metaphysische Anfangsgründe der Rechtslehre, 1797, § 19. なお、カントにおける Jus 上のものとしての ‘pacta sunt servanda’ の説明につき、Einleitung in die Metaphysik der Sitten, Akademie-Ausgabe, VI, S. 219 f., Cassirer-Ausgabe, VII, S. 20 参照。

四

さて、以上でわれわれは、契約法発展の中心的な担い手となったのは有償契約であり且つ諾成契約の法的承認も有償契約に直結したものであったこと、さらにまた、かの 'pacta sunt servanda' という命題の中に表わされているところの近代的な契約意識も有償契約の基礎の上で成立したものであることを、みてきたのである。そして、そのようなものとしての有償契約はどのような型の契約であるのかというと、それは、すでに記しておいたように、個々の契約を取り出してみたとき各当事者の給付が相互に対価たる（あるいは対価的な）意義をもちつつ他の当事者のそれを条件づけ且つそれと離れがたく結びついているという構造をもつ契約類型であった。その典型が売買であることは、いうまでもない。

ところで、今日「無償契約」の典型とされて誰もこれを疑わないところの贈与も、かつて古ゲルマン社会では「同じ値うちの物をお返しする義務（同額報償義務）」を生ぜしめるものとしておこなわれていた時代もあったことが、指摘されている。ゲルマニストは、しばしばこれを、ゲルマン法における「有償主義（Entgeltlichkeitsprinzip）」なるものに関連させながら説明してきた。しかし――そのようなものとしての贈与を今かりに「有償的」贈与とよぶことにすれば――そのような「有償的」贈与は、単に古ゲルマン社会にだけ見出されるものではない。特に十九世紀末以来、あまたの人類学者ないし社会学者によって、そのようなものは未開社会でも広くおこなわれていることが明らかにされた。そして、そのような「有償的」贈与は、財貨の流通のために奉仕するという機能をもつ点で交換＝売買と異るものではないということが、強調されてきたのである。(34) そこで、われわれにとっては、つぎのような問題が問われなければならないことになる。——上記のような「有償的」贈与も、われわれがこれまで問題にしてきたような有償契約、契約法発展の担い手としての有償契約に、属するものなのであろうか。

この問題を考える上で、まず第一に重要なことは、このような「有償的」贈与がどのような処で、財貨の流通のために奉仕するという機能をはたしていたのかということである。しかし、残念ながら本稿ではこれを詳細に分析する余裕が与えられていない。ここでは、ただ結論だけを記しておこう。それは、「共同体内における財貨流通のための一つの重要なメカニズム」(35)として機能していたのであった。そして、さらに、つぎのようなことが注意されなければならない。すなわち、そこでは、ある人がある物を誰かに贈った場合、原初的には、受贈者はその物を預かっている——あるいは借りている——にすぎないとする意識が人々の間に存在していた、ということである(36)(たとえば上部ミズーリのインディアンの間で見出されたような、「有償的」贈与の未成熟形態とみらるべきものにあっては、贈られた物は、贈与者の死後その氏族に返還さるべく、また、もともと預かりあるいは借りたにすぎなかったところの——したがってなお贈与者に属する——贈られた物を、受贈者が贈与者死亡後も返還しないで自己に保有しうるためには、葬儀の際に自己の指を切断するというふうな一定の呪術的行為がなされなければならなかった。これと異り、贈与者死亡前でも受贈者からの「お返し」がなされることによって贈られた物が預かった物でも借りた物でもなくなるという場合を、われわれは「有償的」贈与の原初的形態とよぶことができる。歴史上も、ノルウェー最古の法源とされているある法律書の中に、贈与物は報いられないかぎりなお贈与者に属すると読まるべき言葉が伝えられている。もちろん、「お返し」への期待が確立されたものになればなるほど、「贈る」行為と「預けておく」あるいは「貸しておく」行為との区別も人々の意識において明確なものとなってゆくであろう。しかし、いずれにせよ、「お返し」がなされないかぎり、贈与者はつねに贈与物を取り戻すことができる)。今日「無償契約」としてあげられるところの使用貸借や無利息消費貸借[37]や無償寄託などが「共同体」的生活の場で生まれたものであることは何びとも否定しないところであるが、「有償的」贈与なるものは、結局、これらの「受け取った物をそのまま、あるいは、それと同種・同等・同量の物を返す」行為と同じ社会生活の場でおこなわれるところの、同じ種類のものとして意識される行為であった。しかしさらに、われわれは、ここで、それらの行為は「ある人がある物を受け取り且つ後日に至ってその物あるいは別の物を返すという行為」であるとして独立に取り出しうるものであるのか、ということを問題にしなければならない。実は、それらはそのような行為ではないのである。「有償的」贈与においては、「お返しをする義務」だけがあるのではなくて、まず「贈る義務」があり（何か「よい物」を手に入れたときには人に贈物をなすべきである）且つそれに対して「受ける義務」があり（贈物を受けないという行為は、相手を傷つける行為でありうるばかりでなく、「お返しをする義務」の発生を怖れる行為として何よりもまず自己の「体面」を傷つける行為でありうる）、しかも「お返し」によって両者間の「縁」が切れるわけではなく、むしろ往々にしてそれはふたたび新たな贈物である（「お返し」も何か「よい物」を手に入れたときになされる）ということが、指摘されている。つまり、われわれが「有償的」贈与と名づけたものは、実は、人々の間に存在している「恒常的」な関係の「諸項の一つ」（マルセル・モース）[38]にすぎないのである。このことは、使用貸借等においても異るところはない。人は、以前から存在している「恒常的」な関係によって他の人にある物を――その人が必要とする場合に――「無償」で貸す「義務」を負っているからそうするのであり、しかも将来いつか、今度は彼の方で他の人から同じような仕組のもとに何かを「無償」で貸してもらうであろう。そして時には、彼は、かつて貸した物を借り戻すのであるかも知れない。要するに、人々は、「有償的」贈与とか使用貸借とかいうふうな行為を通じて、「お互いに世話になっている」のである。すべては「お互いさま」であって、われわれが「貸し」とか「借り」とかいっているところのものは、鷹揚な仕方で長い間に何となく（いわば）相殺されてゆくものなのであり、「いつも世話になってばかりいる」者（"sponge"[39]）があると彼はさげすまれて「共同体」的生活の場から遠ざけられるが、かの「恒常的」関係は、そのような者を除いた他の人々――彼らは依然としてなお

Brüder である——の間に存在を続ける。——「有償的」贈与なるものは、そのような処でそのようなものとして生まれ且つおこなわれていたのである。

ところが、交換＝売買は、そのようなものとは異る。「共同体」的生活の場でモースのいわゆる「恒常的」関係の中にいる人々——Brüder——の間では、多くの例が示しているように、物々交換のような「卑しい」ことをする者は、「いつも世話になってばかりいる」者と同様の運命に逢着しなければならなかった。彼らは、たとえ他の人のもっているある使用対象がほしいと思っても、「これをやるからそれをくれ」とか「前にあれをやったのだから——（あるいは）今度あれをやるから——それをくれ」とかいうふうに要求すべきではなく、せいぜい（ある学者によって報告されたように）「私はそういう物がほしいなと思っていた」旨をそっと洩らす程度にとどめるべきである（そして、そういう「慇懃な方法」をとった場合にのみ彼の希望は叶えられる）。また、彼らは、物をもらったり与えたりする場合に「値ぶみしたり値ぎったりするようなこと」をすべきではない。そういうことは、すべて「内輪」では許されないことであり且つ考えられないことである。彼らが互いに物をもらったり与えたり（あるいは貸したり借りたり）する場合、そこでは、名誉、威信、礼譲、好意、感謝等々が物に化現しているのであって物はそれらの非物質的要素から切り離すことのできないものなのであり、物をその純粋に経済的な意義においてのみ理解するということは、「内輪」では考えられないことであった。それに反して、かの交換＝売買は、単純に価値の量的な関係として現われるところの純粋に経済的な行為なのである。そのようなものである以上、それは本来的に、「内輪」ではおこなわれないものであり、いわば「対外的に」――相異る「共同体」〔の成員〕の間で――おこなわれるものである。そのことは、（物々）交換の端初的形態とみらるべき「無言交換」あるいはさらに「掠奪的交換」にあっては、その形の上でも明確であった。(40)

このように「有償的」贈与なるものがおこなわれる場と交換＝売買がおこなわれる場とは異るものであるということを見きわめた上で、はじめの問題に立ち帰ろう。「有償的」贈与なるものもまた、われわれが取り出してきたような有償契約、契約法発展の担い手としての有償契約に、属するものなのであろうか。――われわれは、簡単に、つぎのように答えることができる。すなわち、一定の社会における生産物の余剰が単なる偶然的なものから恒常的なものになってゆき、それによってかの「対外的」交換の絶えざる反覆が必然ならしめられ、さらにこれが内部の共同的生活にも反動を及ぼす、という形で商品交換という一つの社会的過程が発展してゆくにつれて、その社会の内部の「共同体」的紐帯は徐々に断ち切られてゆき、それによって、かの「有償的」贈与のおこなわるべき「共同体」的生活の場は漸次せばめられてゆく。そして、「有償的」贈与における「お返しの義務」は、一定の社会的条件のもとにおいて法の平面に取りあげられたことはあるが、しかしそれらも、交換＝売買の法の発展に平行して、ランゴバルド法がそれを最も鮮明な形で示しているように、漸次、法の平面からは却けられて行った。かくして、「有償的」贈与なるものが契約法発展の担い手としての有償契約に属するものでなかったことは、明らかである。むしろそれは、交換＝売買の法ないし一般に有償契約の法の発展によって却けられつつ法的には「無償」の行為として扱われるものとなって行ったのであった。

しかし、贈与が法的に「無償」のものとして扱われるということは、どのようなことを意味するのであろうか。われわれは今やこのことを考察すべき段階にきた。――贈与が法的に「無償」のものとして扱われるということは、要するに、ある贈与が、その背後にある過去の全生活関係から切り離されて扱われるということを、意味している。ところが、それは、本来、そういうものとしてなされる出捐行為ではなかった。それは、かのモースのいわゆる「恒常的」関係の「諸項の一つ」にすぎないものとしてなされる給付だったのである。同じことは他の「無償契約」についてもあてはまる。ある人がある物を誰かに「無償」で貸してやったり（使用貸借、無利息消費貸借）またある物を誰かから預かって「無償」で保管してやったり（無償寄託）するのは、当事者を包みこんでいるところの、以前から存在しており且つ将来も存続すべきある「恒常的」関係、の基礎の上においてなのである（無償委任についても同様であり、ローマのそれに関連して、本稿はさきに amicitia あるいは

patronatus について述べておいた)。それらの個々の給付は、実は、鷹揚な仕方で長い間に何となく(いわば) 相殺されてゆくべき無数の相互的諸給付の一つにすぎない。しかも、それら無数の相互的諸給付は、非物質的要素によって織りなされたものであり、われわれの法律上の術語としての「給付」という概念をもってそれらの一切を整理しようと試みても不可能であろうところのものなのである。ここにいうところの「相互」性も、われわれが有償契約について指摘したところの給付の相互性とは質的に異るものであって、どちらも「いつも世話になってばかりいる」のではないという意味において存在しているものにほかならない(なお、単なる「相互性」一般が有償契約を「無償契約」から区別する標識となりえないことは上記のところから明らかであろう)。かくしてここに、「無償契約」なるものは一体どのようなものであるのかということも明らかになる。それは、ある一つの給付を取り出してみたときにこれと対価的な関係に立つものとして把握さるべき他の特定の給付が見出されないところの行為であるが、しかもその給付たるや、本来はそれだけを独立に取り出して眺めることができないものであるにもかかわらず法律上そういうふうにして扱われるところのものである。そして、本来はそれだけを独立に取り出して眺めることができないものであるにもかかわらず法律上そういうふうにして扱われるのは、単に、つぎのような(いわば消極的な)理由、つまり、その一個の給付を誘導したところの背後の全生活関係――それは以前から存在し且つ将来も存続すべく期待されていた一つの「恒常的」関係であり、しかも非物質的要素によって織りなされたものである——を法的に relevant なものとして遺漏なく視野にとりこむことは技術的に不可能であるというような理由のみによるのではない。法的な処理が問題となるかぎり、当事者の間では、かの「恒常的」関係はその時すでに消滅してしまっているのであり、その意味において、法の平面に立つかぎり、本来かの「恒常的」関係の「諸項の一つ」として存立するところの行為は、過去の——そして将来も存続すべく期待されていたところの——全生活関係から切り離されて扱わるべき（むしろ積極的な）理由を、有しているのである。[41] とはいえ、このことは、ある無償契約が存立するに至る背後には事実としていかの「恒常的」関係（以前から存在していたばかりでなく将来も存続すべく期待されていたところの）が存在していたということを妨げはしない。そして、かの「恒常的」関係の「諸項の一つ」において紛争がおこり、しかも同時に、かの「恒常的」関係を将来に向かってもなお存続せしめることが要請される場合には、この、権利・義務の関係として取り扱うこと（法的操作）の本来的に不可能な「恒常的」関係を、全体として視野に入れて、そのことを試みうるのである。ただ、その場合に存在するのは、もともと、法的な処理ではなくて、長老——かの「恒常的」関係を成立せしめている「共同体」の内部の——による調停（eine Verwaltungsangelegenheit!）[42] であった。

（34）贈与の原生的な機能としては、本文に書いたような機能が見出された（「交換的贈答」）ほか、また、贈与という行為のもつ寛裕さをとおして人の社会的地位ないし名望を基礎づけ、また維持し、また高めるという機能も見出された（「競覇的贈答」）。詳しくは、註14所引拙稿、法学協会雑誌七〇巻〔三号・四号、昭和二八年〕二一五頁以下、三四八頁以下、参照。

（35）Melville J. Herskovits, The Economic Life of Primitive Peoples, 1940, p. 149, do., Economic Anthropology, 1952, p. 169 (see also p. 181)（傍点は広中）。

（36）そのような意味において、人類学者の間では、'gift-exchange' という言葉と同時にまた 'borrowing-exchange' という言葉も用いられている。

（37）今日われわれは、単純に、消費貸借においては目的物の所有権を借主が取得するのであると説明している。しかし、今われわれが問題にしているような社会における人々の意識からすれば、そのような説明は必ずしも肯定されないものであろう。古代ローマでも、原初的には、消費貸借（mutuum）における借主がもっているところの目的物は――彼がそれを処分しうるという意味では彼のものであるが、同時にしかし――なお依然として貸主のもの（文字どおり aes alienum）であると意識されていたように思われる（Max Kaser, Das altrömische ius, 1949, S. 287 参照）。

（38）Marcel Mauss, Essai sur le don, l'Année Sociologique, nouv. série, I (1923-1924), 1925, p. 37 (→Sociologie et Anthropologie, 1950, p. 151).

（39）John R. Swanton, Social Organization and Social Usages of the Indians of the Creek Confederacy, 42nd Annual Report of the Bureau of American Ethnology (1924-1925), 1928, p. 335.

(40) 「無言交換」(stummer Tausch od. Handel, dumb barter or silent trade) および「掠奪的交換」(Raubhandel) については、註14所引拙稿、法学協会雑誌七〇巻二〇九頁以下、参照。

(41) 以上においては、たとえば街頭の乞食に施しをするような、それを誘導するものが一つの「恒常的」関係として背後に存在していないだけでなく将来に向かってそうした生活関係を存立させることもないような贈与（贈与により、将来に向かって新たにそうした生活関係が生ぜしめられる例は、しばしば見出された）については、特に言及しなかった。しかし、このような贈与についても、それの背後に存在しているあるもの（それは非物質的なものである。総じて無償契約は、経済的に志向され且つ経済的側面が前面に出ているところの行為ではない）が検討さるべく、且つ、法的な処理が問題となるや否やそのあるものはどうなるかということが検討さるべきであるという暗示は、しておいたつもりである。なお、しばしば贈与は、原初的には、単に贈与者と受贈者との関係としてのみ眺めらるべきものではなくて、彼らを包含する一定の社会の全体との関連において眺めらるべきものであるということが、注意されなければならない。その意味で問題とさるべき贈与の「競覇的性格」（註34参照）については、本稿は立ち入らなかったけれども。

(42) Weber, W. u. G., S. 420〔1. Aufl., S. 419〕参照。

五

有償契約と無償契約との差異とはどのような差異であるのかということを明らかにしようとする本稿の目的は、以上でほぼ達せられたものと考える。種々に試みられる契約の分類のうちで有償契約と無償契約との区別が基本的な重要性をもつものであるというゆえんも、以上で明確になったであろう。

これまでに述べてきたところを要約することは特に必要であるとも思われないし、また本稿ではその余裕もない。すでに本稿は予定されたページ数をかなり超過してしまったので、最後に若干のことがらを補足して本稿を終ることにしたいと思う。

有償契約と無償契約との差異がどのような差異であるのかということはすでに明らかにしたのであるが、右の差異に照応してそれらに対する法的保護も相互に異ったものであるということ、——まずこのことについて、概括的に述べておこう。近代契約法においては、一般に契約は合意のみによって拘束力を生ずるものとされている（諾成契約の原則）が、すでに述べたように、これは有償契約を基盤として形成されたところのものである。諾成契約の承認は有償契約に直結したものであり、一個の契約を形成する各当事者の各特定の給付が相互に対価たる（あるいは対価的な）意義をもちつつ他の当事者のそれを条件づけ且つそれと離れがたく結びついているという契約関係の物的構造と深い関連をもっている。ところが、無償契約においては、右のような物的構造が存在していない。

それだけでなく、そもそも無償契約を形成するところの給付は、それを誘導する背後のもの（元来は「共同体」的生活関係であった）から切り離しそれだけを独立に取り出して眺めることのできないものなのである。まさに右のようなことに照応して、無償契約に対する法的保護は、本来、そのような一つの給付を請求することに対して与えられるもの、としては存立しえないものであった。このことは、未だなされていないそのような給付を誘導すべき背後のものが原則として法的操作の本来的に不可能なものであるがために、法的保護は――それが調停から截然と区別されるものであるかぎり――本来この背後のものに立脚することができず、したがってそのような（未だなされていない）給付を強制する根拠を有しない、という理由のみに基くのではない。未だなされていないそのような給付が訴求された時には、背後にあってそれを誘導すべかりしものはすでに存在しなくなっているがために、法的保護は、本来、それの存在によって誘導さるべかりし給付を強制する――一方ではすでに存在しなくなっている背後のものを回復することができない（調停ならば、たとえば「一切を水に流して」それを回復すべく試みることができようが）にもかかわらず他方ではそれの存在によって誘導さるべかりし給付を強制する――根拠を、有しないのである。このようにして、無償契約に対する法的保護は、本来、未だなされていない給付を請求するという offensiv な主張のためには存立しえないものだったのである（というよりも、もともとそういう主張が裁判所に持ち出される可能性はありえないものとして無償契約はおこなわれるのである)。しかし、それは、すでにある給付がなされているという(既成の)事実に立脚して与えられることはできた。とはいえ、この法的保護は、歴史上、典型的には、給付者の所有物を受領者が保有しているということに基礎をおく給付者の物権的請求権の自由な貫徹(それの保障のみが存在する段階では、まだ無償契約に対する法的保護を語りえない)からの受領者の(契約上の!)保護——受領者のために defensiv に機能するところのもの——として出現したものであった。そうして、無償契約に対する法的保護を上述のようなものたらしめる理由は、今日といえども、基本的には消滅していない。近代法において、贈与約束の拘束力はそれが一定の方式を備えている場合にかぎり(諾成)有償契約におけると同等に承認されうるものとなっている一方で、「履行ハ終ハリタル」(日本民法第五五〇条但書の言葉)贈与については方式が備わっていなくとも受贈者が保護されうべきものとなっていたり、あるいはまた、使用貸借のようなものが要物契約として保護を受くべきものとされていたりすることも、右のことにその基礎をもっているのである。[43]——有償契約に対する法的保護と無償契約に対するそれとの相違は、ほかにも種々の点で(たとえば担保責任に関して等々)見出される。しかし、ここではそれらについての検討を省略することにしよう。われわれは別の問題に目を転じなければならない。

さらにここで補足しておきたいことがら、それは、契約において当事者を支配する「倫理的」要素も、有償契約においては、無償契約におけるとは質的に異ったものとして発展した、ということである。われわれは、さきに（一で）、この問題に関連するH・ミッタイスの所論をみておいたのであるが、彼が「共同体関係——相隣的援助・ゲノッセンシャフト的義務等々」に起源をもつところの諸契約——すでに述べたところから明らかなように無償契約はそのようなものとして生まれた——について、そこにおける「忠実」（Treue）という要素を指摘した時、そのかぎりで彼は必ずしも誤っていなかったといえよう。ところで有償契約は、すでに述べておいたように、本来、「共同体関係」に対する対立物として発展したものであった。それがおこなわれるのは何よりもまず市場においてなのであり、そして市場は、ウェーバーが正しく指摘したように、「つねに人的な同胞的結合〔persönliche Verbrüderung〕を、そして多くの場合には血縁を前提するところの、他の一切の団体形成、に対して完全に対立したものであり、あらゆる同胞的結合とは根本的に無縁のものである」[44]。したがって、かの「共同体関係」——あるいはウェーバーのいう「同胞的結合」——において支配するものとしての「忠実」という要素が交換型契約ないし有償契約に「滲透」（eindringen）してゆくという想定（ミッタイス）は、成り立ちえないものといわなければならない。むしろわれわれは、ここで、有償契約の発展はもろもろの「共同体関係」を解体しつつ進行したものであること——このことに照応して、ウェーバーの言葉を借りれば „Rechenhaftigkeit" あるいは „händlerisches

Prinzip" が „Binnenwirtschaft" (Binnenmoral が支配するところの) の中へ „eindringen" して行った(45)――を、想起しなければならないのである。もちろん有償契約においては、「市場倫理(マルクトエテイク)」(ウェーバー)とも称せらるべきものが形成されてゆくであろう。今日「信義誠実の原則」とよばれているものは、歴史的には、まさにそのようなものとして形成されたものであった。しかしそれは、本来、対等な独立主体者の間に存立するところの、権利・義務のカテゴリーによって構成される利益の対抗関係、を前提するものであり、その点で全く対立的なあらゆる「同胞的結合」――あるいはミッタイスのいった「共同体関係」――において支配するエートスとしての「忠実」とは、根本において異ったものである。(46)

以上のようなことに関連して、最後に、かの「契約の自由とそれに対する制限」という言葉で表わされる問題に言及しておこう。もはや喋々するまでもないであろうが、近代契約法は有償契約の基礎の上で発展したものである。また、すでに示唆しておいたように、一般に「契約の自由」という言葉で表わされているところのものも、有償契約の基礎の上で成立しえたものであった。そして、「契約の自由に対する制限」なるものもまた同じ基礎の上において招来されたところのものであったということ、このことは何びとも否定しえないであろう。したがって、資本主義の一定の発展段階において必然的に招来された課題である「契約の自由に対する制限」を理由づけるために、有償契約とは本来的に無縁のものであるかの「共同体関係」を持ち込むことは、この現象の理論的把握に何ら資するところがないばかりでなく、むしろ、この現象の歴史的意義を不明確ならしめ問題の所在を押し隠すものであるといわなければならない。かの「団体主義」的契約観、„Gemeinschafts-gedanke" に立脚した契約「理論」——それがもっていた実践的意義については今さら述べる必要もあるまい——は、そのような試みの代表的な一例としても批判さるべきものである。さらにまた同じような意味において、時おりなされるように「契約の自由に対する制限」との関連で——のみならず多種多様の問題について——「信義誠実の原則」という「一般条項」[47]が持ち出される場合にも、その内容としてどのようなものが盛られているかが検討されなければならないであろう。

以上は、単なる補足である。問題はもっと立ち入った論述を必要とするものであるが、本稿はその余裕を与えられていない。

有償契約と無償契約との差異とはどのような差異であるのかということの把握が、およそ契約および契約法を扱おうとするすべての者——実定法を説明し解釈し批判しようとする者であれ、また契約の社会的機能を論じようとする者であれ、はたまた契約および契約法における理念といったようなものを問題にしようとする者であれ——にとっては不可欠のものである、というゆえんを多少とも明らかにしえたとすれば、本稿の目的は達せられたのである。

（43）　法解釈学上、たとえば日本の民法典で要物契約として規定されている利息附消費貸借および有償寄託、諾成契約として規定されている無償委任、また使用貸借・消費貸借・寄託の「予約」等々をめぐって、種々の議論がなされるが、本稿ではこれらの問題に立ち入らない（このような議論の一つの焦点である消費貸借の問題については本書六一頁以下、もう一つの焦点である委任の問題については一七五頁以下、特に二三一頁を参照）。また、本文で一般的に「近代法において」といったが、具体的にそれぞれの国でそのような問題がどのように扱われているかは別に詳論を要するところであり（検討さるべきものは、もちろん制定法だけではない。たとえば制定法の国でもフランスでは、「履行ノ終ハリタル」贈与における受贈者の保護に関しては判例が道をひらいたのであった）、これについても、今は立ち入らないでおく。なお、近代法においては、無償であっても単なる約束に法的拘束力を認めなければならない場合が事実として存在するのであるが、それは、そのような約束に対する信頼の上になされた諸種の行為——対価として扱いうべきものをそこから取り出すことは不可能であるような——との関連でそれに法的拘束力を認めなければならない場合がある、ということに基いている。このことに関しては、たとえば田中英夫「英米における無償契約に対する法的保護（史的素描）」（比較法学会編『贈与の研究』〔昭和三三年〕四七頁以下）が示唆的である。

（44）　Weber, W. u. G., S. 383 〔1.～3. Aufl., S. 365〕. ——本文では、ウェーバーの用いた Vergemeinschaftung の語を「団体形成」と訳しておいた。ウェーバーは Marktgemeinschaft という語を用いるが、彼によれば、これは „die unpersönlichste praktische Lebensbeziehung, in welche Menschen miteinander treten können“ であり、それは、市場が「特殊的にザッハリッヒに、交換財への関心——しかもこれのみ——に、指向している」ものだからである。ちなみに、ウェーバーが Vergemeinschaftung の語と区別して用いたところの Vergesellschaftung は、本稿で述べたような有償契約の発展とは切り離して考えることのできないものである（ibid., S. 21 f. 参照）。

（45） Weber, Wirtschaftsgesch., S. 303 f. u. 269 参照。

（46） ウェーバーによれば、一切の「忠実」の原生的な担い手は、Sippenverband である。「従属」の関係であると同時に「同胞的結合」の関係である Vasallität 〔als Kontraktverhältnis〕 においては、「忠実」は、身分的「名誉」（ständische „Ehre“）と固く結合して現われた。Weber, W. u. G., S. 219, 658 〔1.～3. Aufl., S. 201, 749〕 et passim（「信義誠実の原則」に関連しては ibid., S. 383 〔1.～3. Aufl., S. 365〕, S. 506 〔1. Aufl., S. 505〕）参照。ミッタイスにおいては、いわゆる Treu und Glauben と「共同体関係」において支配するものとしての Treue とは全く同一視されている（Vgl. Mitteis, a. a. O., S. 105 u. 129）のであるが、このような理解は必ずしも稀有のものではないということを附言しておきたい。

（47） 註9参照。

第二部

第一　消費貸借を要物契約とした民法の規定について

一

民法第五八七条は、消費貸借を要物契約として規定している。すなわち、同条によれば、「消費貸借ハ当事者ノ一方カ種類、品等及ヒ数量ノ同シキ物ヲ以テ返還ヲ為スコトヲ約シテ相手方ヨリ金銭其他ノ物ヲ受取ルニ因リテ其効力ヲ生ス」るのである。『民法修正案理由書』は、「本案ニ於テハ消費貸借ヲ以テ要物契約トスル主義ヲ採リタルコトヲ明ニセンカ為メ特ニ受取ト云ヘル文字ヲ用ヰタリ近時消費貸借ヲ以テ諾成契約トスル説ナキニ非ラス瑞士債務法（現第三一二条）ノ如キハ即チ此主義ヲ採用セリ然レトモ消費貸借ノ要物契約タルコトハローマ法以来諸国ノ法律ニ於テ認ムル処ニシテ今日此主義ヲ棄ツルニ足ルヘキ有力ナル理由アルヲ見サルナリ」としている。衆議院（第九議会―明治二十九年）で民法修正案が審議された際、本条のように扱って支障を生じないかという質疑もあったが、そのような懸念は、起草委員の一人である梅博士の説明によって却けられた。(1)

しかし、よく知られているように、民法典においてとられた消費貸借の右のような扱い方は、その後、裁判所でも、そしてさらに学者の間でも、一個の問題として現われざるをえなかった。本稿は、それがいかにして一個の問題たらざるをえなくなったのかを明らかにし、且つ、この問題はいかに考えらるべきものであるかを簡単に論じようとするものである。(2)

(1) 『民法修正案理由書』附録・法典質疑要録、二五五—七頁、参照。なお、梅謙次郎『民法要義巻之三』〔増訂、明治三八年〕五八四頁も、「新民法ニ於テハ消費貸借ヲ践成契約トシタルヨリ生スル結果ハ殆ト理論上ニ止マリ敢テ実際ノ利害ナキモノト謂テ可ナリ」(傍点は広中)としている。ところで、梅博士にあっては、消費貸借には「予約」の先行するのが常であると考えられているようであり(同、五八六頁、参照)且つ「予約」によって借主たるべき者の側に条件附返還義務が生ずると考えられているのである(日本学術振興会謄写『法典調査会民法議事速記録』三一巻一九六—七丁)。これは、諾成契約たる消費貸借を認める考え方と同一に帰着するものといってよいであろうが、この点は三で述べるところである。

(2) 本稿で扱おうとしている問題の法解釈学上の意義については、本書五七頁註43前段を参照。

二

実際上の具体的な問題からはいってゆこう。

消費貸借の最も普通のものは(一般に貨幣経済のもとにおいては(3))金銭の利息附消費貸借であり、

消費貸借が今日きわめて重要な契約類型の一つであるのも、まさにそれによってであるが、いま取引の実際に即して契約締結の過程を眺めてみるに、多くの場合、まず当事者が金額・返済期限・利息・担保などについて交渉し、協定に達したら証書を作成し、抵当権を設定する場合なら抵当権を設定して登記をすませたのちに、はじめて貸付金額の授受がなされる。ところが、そうすると、消費貸借が成立する前に、証書とくに公正証書が作成され、また抵当権が設定・登記されたことになるであろう。そこで、このような公正証書や抵当権は有効かどうかが争われうることになる。今日とくに普通銀行による貸付において支配的ないわゆる手形貸付や、一般に抵当権の設定をしない貸付の場合は別として、右のようなことは明らかに問題となりうるし、事実、古くから裁判所でも争われたのである。

右のような問題に対し、裁判所は、種々の論理構成をもって現実の社会的必要にこたえることを余儀なくされた。

まず抵当権の問題につき、すでに明治三十八年に、大審院は、「抵当権設定者カ後ニ発生スヘキ債務ヲ担保スル意思ヲ以テ其抵当権ヲ設定スル場合ニ於テハ金円ノ貸借ニ先ッテ予メ抵当権設定ノ手続ヲ為スハ法律ノ禁スル所ニアラサルヲ以テ其抵当ハ後ニ発生シタル債務ヲ有効ニ担保スヘク抵当権設定ノ手続ハ必シモ債務ノ発生ト同時ナルヲ要セス」という形で解決を与えている(4)。

ところが、公正証書の問題については、現実の社会的必要にこたえることが長い間なされなかった。たとえば、明治四十年に、大審院は、「凡ソ公正証書ノ記載事項ハ必ス現実ノ事実ナルヲ要シ其記載事項カ実際ノ事実ニ吻合セサルトキハ其公正証書ハ以テ強制執行ノ基本タル債務名義ト為ス可カラスト八当院判例ノ示ス所ニシテ公正証書ニハ金銭ノ授受ニ因テ成立スル貸借ヲ為シタル旨ノ記載アルニ実際ハ証書作成後〔といっても本件では同日中〕ニ金銭ヲ授受シタルトキハ其記載事項ハ即チ現実ノ事実ニ吻合セサルモノナレハ」かかる「公正証書ハ之ヲ以テ強制執行ノ債務名義ト為スヲ得ヘキモノニアラス」として、原判決を破棄したが、(5)このような態度はその後もなお持続されている。(6)そして、大審院の態度の変化は、公正証書そのものの性質の問題をめぐって進められることになり、昭和五年の一判決(7)を転機として、昭和八年には、銀行が公正証書作成の五日後に金銭を交付した事件で公正証書の効力を認めた判決が現われ、(8)昭和十一年には、「金銭ノ授受カ証書作成ヨリ二箇月半ト云フ遅延ヲ来シタル」事案で同じ結論を認めた判決が出るに至ったのであった。(9)最後の判決は、こう述べている。「民事訴訟法第五百五十九条第三号ニ依ル債務名義タリ得ル公正証書ハ私権ニ関スル事実ニ付作成セラルルソレニ非スシテ同条所定ノ請求ヲ具体的ニ表示スルヲ以テ其ノ本質ト為ス……故ニ当該請求カ苟モ他ノ請求ト区別シテ認識シ得ラルル程度ニ具体的ニ記載セラルル以上其ノ記載方法ニシテ多少事実ニ吻合セサルトコロアルモ尚当該請求ニ対スル有効ナル執行名義タルヲ失ハサルモノトス……貸主ハ取引ノ安全ヲ期スル為予メ公正証書ヲ作成シ置キ抵当権設定登記経由ノ上ニテ金円其ノ他ノ目的物ヲ交付スルコトハ通常行ハルル事例ニシテ斯ル場合畢竟消費貸借契約ハ合意ノ時ニ始マリ目的物授受ノ時ニ完成シ而シテ当該公正証書ハ恰モ此ノ完成シタル消費貸借ニ因ル具体的債務ヲ表示スルモノニ外ナラス縦令公正証書ノ記載自体ニハ合意ト同時ニ消費貸借ノ成立シタルカ如キロ吻アリトスルモ這ハ未タ以テ当該具体的債務ソノモノノ表示タルヲ妨ケス其ノ適法ナル債務名義タルヲ得ルヤ論ナシ」と。

民法第五八七条の規定を厳格に解することによって生じうべき問題は、もっと手近なところにもあった。たとえば、現金に代えて国庫債券や小切手や手形などを交付したり、あるいは借主たるべき者の依頼に基いて第三者に金銭を交付したり、あるいはまた借主たるべき者に銀行の預金通帳と印章とを交付したりしたような場合、それによって消費貸借は成立しうるであろうか。このような問題についてもまた、裁判所は、実際界の要請にこたえないわけにゆかなかった。たとえば上記のうちの最後の場合を扱った事件において、大審院は、「縦令現実ニ金銭ヲ授受セサルモ借主ヲシテ現実ノ授受アリタルト同一ノ経済上ノ利益ヲ得セシムルニ於テハ其ノ金額ニ付消費貸借成立スヘキコトハ当院判例ノ示ス所ナリ」といっている。(10)

このようにして、民法第五八七条の規定によって生じうべき諸種の不都合は、ともかく消費貸借を要物契約となす建前を保持したまま巧みに回避されてはきたわけである。

しかし、以上のような解決の仕方は、何ら疑問の余地がないとは必ずしもいえないものであった。――最後に引用した判例にあるような解釈は、「民法第五八七条の厳格なる文字解釈より云へば可成り無理な解釈[11]」であるといわざるをえないのではなかろうか。また、公正証書や抵当権に関する上記のような判例理論も、消費貸借は要物契約であるという建前が固持されているかぎり、「結局こじつけに終るものといわねばならない[12]」のではあるまいか。

消費貸借を要物契約となすことの実益を説く試みも、なかったわけではない。すなわち、高利貸が高利を天引したような場合に要物契約たることを理由として「天引の部分に就いては、消費貸借は成立せずとして債務者の保護を認むる[13]」ことが可能だ、という考えがそうである。しかし、高利貸が一応全額を渡して直ちに利息分を返させたら、どうにも仕方がないであろう。また、さきに紹介した最後の判例理論を天引の場合にだけ適用しないというわけにもゆくまい。旧利息制限法について形成された判例理論[14]は、同法の制限を超過して利息が天引された場合に超過部分については「現金授受ト同一ナル経済上ノ利益」を得しめたものといえないとしたが、これは全く姑息な態度といわれなければならないものであった[15]。暴利に対する法的保護の拒否は、民法第五八七条に依存してなさるべきではなく、利息制限法なり民法第九〇条（「公ノ秩序又ハ善良ノ風俗ニ反スル事項ヲ目的トスル法律行為ハ無効トス」）なりによってなさるべきであろう。

このようにみてくると、「消費貸借ヲ以テ要物契約トスル主義」それ自体を学者が問題にするようになって行ったのも偶然ではない、ということがわかる。起草当時には「羅馬法以来消費貸借ト云フモノハ要物契約ニ極マッテ居ル……本案ニ於テハ……古来普通ニ行ハレテ居ル考ヘヲ一変スル丈ケノ勇気ハナカッタ(16)」というふうにいっていた起草委員の一人である富井博士すら、十数年後には、「立法問題トシテ考フルトキハ余輩ハ消費貸借……ヲ以テ諾成契約ト為スコトヲ至当トスル者ナリ(17)」というに至っているのである。民法典においてかの「主義」が採用されたのは「単ニ羅馬法以来ノ沿革ニ基クト云フノ外他ニ全ク理由ナシト云ハサルヘカラス(18)」というような見解は、年とともに一般化して行った。

（3）資本制経済における消費貸借の重要性は、いうまでもなくそれが貸付資本の運動の法的形態として機能するところにあるわけであるが、今日その経済的意義を明確に把握しうるためには、そのより発展した形態である手形、社債ないし株式の制度に関する理解が必要であろう。こういった観点からのこれら諸制度の総合的研究は、今後にのこされた課題である（ちなみに、鴻常夫『社債法』〔法律学全集、昭和三三年〕二九頁以下、同「株式の社債化」ジュリスト一五〇号〔同年〕三一頁以下は、その意味で興味ぶかい論述をふくんでいるといわなければならない)。

(4) 大判・明治三八年一二月六日民録一六五五頁。なお、大判・大正二年五月八日民録三一二頁以下、参照。消費貸借の「要物性」の問題を回避して形成されたところの、将来の債務のための抵当権に関することの判例理論は、大判・昭和五年一一月一九日裁判例(四)民一一一頁以下、大判・昭和七年六月一日新聞三四四五号一六頁以下、を経て確乎たるものとなった。

(5) 大判・明治四〇年五月二七日民録五八七頁。原判決(広島控訴院明治三九年九月二六日)は、「実際公正証書ノ作成ト同時ニ公証人役場内ニ於テ取引〔金銭授受〕セス多少ノ時間ヲ経過シ他ノ場所ニ於テ取引シタル場合ト雖モ其取引カ極メテ些少ノ時間ヲ経過シタル後為サレタルニ於テハ尚公正証書ノ作成ト同時ニ取引セラレタルモノト認メサルヘカラス」としたのであった。

(6) たとえば大判・明治四三年一〇月一四日民録六八四頁以下、大判・明治四四年一二月二五日民録八九九頁以下。以前では、たとえば大判・明治三七年七月五日民録一〇二九頁以下、大判・明治三八年六月一六日民録一〇一七頁以下。

(7) 大判・昭和五年一二月二四日民集一一九七頁以下(甲乙間の取引において将来一方の売掛金債務が五百円に達したときは消費貸借を成立させるという約旨であらかじめ五百円の公正証書を作成し、現金の授受があったように記載していた事案につき、「公正証書ニハ当該請求カ具体的ニ表示セラルルコトヲ要シ又之ヲ以テ足レリトスルカ故ニ請求ノ発生原因トシテ記載セラレアル事実ナルモノカ多少実際ノソレト吻合セサルトコロアルモ苟モ右ノ記載ニ依リ問題タル請求カ具体的ニ(換言スレハ他ト区別シテ)認識シ得ラルルニ妨無キ以上当該公正証書ハ尚当該請求ニ対スル有効ナル執行名義タルヲ失ハス蓋此種ノ公正証書ハ単ナル事実上ノ認識ヲ記述スルヲ以テ其ノ職能トセス或具体的ノ請求ヲ表示スルヲ以テ其ノ本質ト為スモノナレハナリ」としたもの)。

(8) 大決・昭和八年三月六日民集三二五頁以下(「消費貸借契約ヲ為スニ当リテハ必スシモ之カ証書ヲ作成スルト同時ニ其ノ目的物ヲ授受スルコトヲ要スルモノニ非ス貸主ハ証書ヲ作成セシムル以前ニ於テ目的物ヲ借主ニ交付スル場合ノ不安ヲ慮リ予メ公正証書ヲ作成セシメ且抵当権設定ノ登記ヲモ経由シタル上ニテ目的物タル金銭ヲ交付スルハ通常ノ取引ニ於テ行ハルル事例ニシテ其ノ間ニ数日ヲ経過スルコト亦是ナキニ非ス然ルトキハ其ノ金銭ノ授受アリタル時ニ於テ始メテ消費貸借ハ成立スヘシト雖(従テ利息ハ其ノ授受アリタル日ヨリ支払フヘキモノトス)其ノ以前ニ作成シタル消費貸借ノ公正証書ヲ以テ無効ノモノト謂フヲ得ス唯其ノ証書ノ効力カ右ノ授受アリタル時ニ発生スルニ過キサレハ該公正証書ノ執行力ハ金銭ノ授受カ証書作成ノ日ニ後レタルノ故ヲ以テ之ヲ否定スルコトヲ得サルモノトス」)。なお、大判・昭和八年三月二四日民集四七四頁以下、参照。

(9) 大判・昭和一一年六月一六日民集一一二五頁以下。

(10) 大判・大正一一年一〇月二五日民集六二五頁。なお、貸主が約束手形を振り出して交付した場合につき、大審院は、借主が「右手形ノ割引ニ因リテ銀行ヨリ金銭ノ交付ヲ受ケタルトキハ之ト同時ニ手形面ノ金額ト同一ナル額ヲ目的トシテ」消費貸借が成立するとした(大判・大正一四年九月二四日民集四七四頁。『判例民事法』同年度七六事件評釈、参照)。

(11) 末弘厳太郎・法学協会雑誌四一巻〔大正一二年〕一五五一―二頁(→『判例民事法』大正一一年度九三事件評釈)。
(12) 我妻栄・有泉亨『民法Ⅱ・債権法』〔昭和二九年〕二七〇頁。
(13) 勝本正晃「判例消費貸借法」法律時報・昭和九年四月号一〇頁(→同『民法研究(2)』〔昭和九年〕二五五頁)。
(14) 大判・昭和五年一月二八日民集四九頁以下、最判・昭和二九年四月一三日民集八四〇頁以下。
(15) なお、現在では利息制限法第二条(「利息を天引した場合において、天引額が債務者の受領額を元本として前条第一項に規定する利率〔元本が十万円未満の場合には年二割、元本が十万円以上百万円未満の場合には年一割八分、元本が百万円以上の場合には年一割五分〕により計算した金額をこえるときは、その超過部分は、元本の支払に充てたものとみなす。」)。
(16) 註1所引『法典調査会民法議事速記録』三一巻一三〇丁・一三一丁(明治二八年五月三一日)。
(17) 富井政章「消費貸借ノ成立ト占有ノ移転」法学協会雑誌三〇巻〔一号、明治四五年〕九―一〇頁。
(18) 石坂音四郎「要物契約否定論」宮崎教授在職廿五年記念論文集〔大正三年〕八六頁(→同『改纂民法研究』下巻〔大正九年〕六九五頁)。

三

以上では、実際問題との関連においてとどまったわけであるが、ここで直ちに結論を出してしまうことなく、さらに理論的な問題にも目を向けてみよう。

理論的には、問題は少くとも二つある。

第一に、民法は「消費貸借の予約」が有効であることを前提した規定をおいている（第五八九条）が、これは、消費貸借を要物契約とする立場と矛盾しないであろうか。――消費貸借を要物契約とすることの本来の意味は、目的物の授受に先行する単なる合意（「貸そう」「借りよう」という）には何らの法的拘束力をも認めないということである。ところが、近代法に至って契約の拘束力の根拠を人の「意思」に求める理論が形成され、一般に単なる合意それ自体の法的拘束力が承認されるようになった時代に、一方では要物契約としてのローマ法上の消費貸借（mutuum）をそのまま受け継ぐことに疑問をもたなかった人たちも、他方で、目的物の授受に先行する単なる合意にも法的拘束力を認めざるをえなくなった。このようにして「消費貸〔借〕の予約」（pactum de mutuo dando〔mutuo accipiendo〕）なるものの効力が認められることとなったのであり、それが日本に受け継がれたわけである。しかし、このような合意に法的拘束力を認めるということは、結局、要物契約としての消費貸借を否認して諾成契約たる消費貸借を承認するに帰着するといわざるをえまい[19]。目的物の交付は、要するに、その履行としてなされることになる。ローマ法では、かの mutuum は要物契約とされたが、まさにそのゆえに、その「予約」なるものはその拘束力を認められなかったのであった。そのようなものは、要式契約たる問答契約（stipulatio）で約されたものである場合にのみ拘束力を認められたのである。このように考えてくると、消費貸借を要物契約とすることと「消費貸借の予約」の効力を認めることとは矛盾すると断ぜざるをえなくなるであろう。

第二に、消費貸借を要物契約とすることはローマ法に由来すると説明されており、それはローマ法におけるかの mutuum の取扱に範が求められたことを意味するのであるが、このことは一体どの程度まで正当なものだったのであろうか。――ローマ法におけるかの mutuum はたしかに要物契約であったが、しかし元来それは無利息消費貸借であって、利息附消費貸借ではなかった、ということが、ここで注意されなければなるまい。なるほどローマにおいては、利息附消費貸借として機能した最古のものである nexum が不使用に帰するとともに、この nexum の機能した領域にも mutuum を導入すべき法律上の素地がつくられたとはいえ、消費貸借において利息を生ぜしめるためにはこれを問答契約で約さなければならず、しかも利息附消費貸借という取引行為は、無利息消費貸借と利息契約との二つに断ち切ってしまうことのできないものなのであって（利息附消費貸借の利息を意味する faenus という言葉が同時に一個の取引行為たる利息附消費貸借そのものを示す言葉としても用いられたということは、はなはだ示唆に富む）、しばしばそれは、全体として、問答契約の方式によって――あるいは別個の問答契約で、あるいは一個の問答契約（stipulatio sortis et usurarum）で――おこなわれ、且つ、そのようなものとして法的保護をうけたのであった。[20] そして、この領域においても要式契約たる問答契約（のちにはここに証書主義が滲透したのであるが）の羈絆からの離脱という法発展が進行し、目的物の交付とともに（無方式の合意に基いて）利息債務を生ぜしめるもの、比喩的にいえばかのいわゆる無名要物契約（contractus re innominati〔一方がその約した給付を履行することにより相手方に反対給付の債務を生ぜしめるもの〕）に相当するものが、部分的に承認されて行ったのである（たとえば銀行業者のなす貸付）。もちろん利息附消費貸借をなすべきことが――問答契約によってではなく――無方式の合意（pactum）によって約された場合（諾成契約）にまで法的拘束力が認められるには至らなかったけれども、これは、この取引行為が、この社会ではまだ、合理的な資本計算の基礎の上に立つ規則正しい社会的過程としておこなわれるに至らなかった、ということに基因するであろう。しかし、かのいわゆる無名要物契約（たとえば交換や和解）は、近代法においては要物性の羈絆をうち破るに至ったものなのであり（たとえば交換や和解も諾成契約とされるに至った）、そして、ともかくローマにおいても、部分的にせよ、利息附消費貸借は、実質上、この――すなわち近代法に至って要物性の羈絆から離脱したところの――いわゆる無名要物契約の段階までの発展をみたのである。[21] ところが、今日の社会で重要な機能をはたしているのは利息附消費貸借であるにもかかわらず、近代法典が消費貸借を規定するにあたって、漫然と、ローマ法におけるかのmutuumつまり「古い友誼的〔＝無利息〕消費貸借の単なる継続」[22]にすぎないものの取扱に、その範を求めたわけであった。[23]このように考えてくると、今日かの「沿革」が正当に主張されうるとすればそれは無利息消費貸借の場合だけなのではないかという疑問を、誰しも抱かざるをえなくなるに相違ない。

(19) だから、法典調査会で岸本辰雄氏が、一方に消費貸借の予約の効力を認めた規定案をおきながら他方で消費貸借を要物契約として規定しようとするのは「ドウ云フ訳デアリマスルカ」と質問した（註1所引『法典調査会民法議事速記録』三一巻一三五丁）のも、きわめてすなおな疑問に発したものだったわけである。なお註1参照。

(20) 正確にいえば、nexumに代わった——その機能を引き継いだ——のは、実は問答契約だったのだといわれなければならない。そのことは、すでにたとえばBernhard Kübler, Geschichte des römischen Rechts, 1925, S. 168によって的確に指摘されていた。

(21) 以上に関し、拙稿「契約とその法的保護——その一」三—六、法学協会雑誌七一巻〔二号・三号・五号、昭和二八—九年〕一五九頁以下、二七九頁以下、四四二頁以下、七二巻〔一号、昭和二九年〕三八頁以下、参照。

(22) Max Kaser, Das römische Privatrecht, 1. Abschnitt (Das altrömische, das vorklassische und klassische Recht), 1955, S. 444.

(23) ローマ法上、問題の消費貸借は actio certae creditae pecuniae または condictio（なお Kaser, a. a. O., S. 443, S. 451 f., Anm. 20 参照）をもって保護され、いわゆる無名要物契約（本書二三頁、参照）は（最も一般的なものとしては）actio praescriptis verbis（その他 actio civilis incerti, actio in factum civilis, etc.）をもって保護さるべきものとされていた。ところで、おおまかにいえば、三世紀ころまでのローマ法は尨大な「アクティオーの体系」（Aktionensystem）として構築されていたものなのであり、後世、ローマ法を「研究」した法律学者も、最近まで、ほとんどすべて、何よりもまず上記のようなものとしてのローマ法の「研究」に没頭していたのである。そして、上記のようなものとしてローマ法を扱うにとどまるかぎり、社会関係としての型からいえば一緒に扱って然るべきもの（本文に述べたような、目的物の交付とともに利息債務を生ぜしめる行為としての利息附消費貸借と、交換その他の「一方が約定の給付を履行することによって相手方に反対給付の債務を生ぜしめる」行為と）でも actio praescriptis verbis という同じ名称のアクティオーによる保護がないためにこれを一緒に扱わない、ということになったとしても、ふしぎではない。近代法典に消費貸借を規定するにあたってローマ法に範を求めた（それ自体が正当であったかどうかは、しばらく措く）人々が、無利息の場合であると利息附の場合であるとを問わず消費貸借を一様に要物契約として規定しようとした（他方では交換や和解を諾成契約として規定しながら）のは、いわば、それぞれ当時のローマ法研究の水準を反映したものであったように思われる。

四

さて、以上のような考察をへた上で結論に移ろう。

民法第五八七条の問題は、ごく簡単にいうならば、つぎのように考えらるべきである。すなわち、——

消費貸借は、それが無利息のものであるかぎりにおいては要物契約である（使用貸借がそうであるように）。いいかえれば、無利息で金（など）を貸してやるといった相手方の約束を盾にとって貸与を請求したりしても裁判所はこれに力をかさないが、ひとたび目的物が授受されたならば、裁判所はこれを消費貸借という契約関係として処理する。かくして、無利息消費貸借の予約なるものは本来その効力を認められないわけである。ところが、民法は、その効力を認めたような規定をおいている（第五八九条）。しかし、一応そのようなものの効力が認められなければならないとしても、それについては贈与約束に関する民法第五五〇条本文の規定を類推して「書面ニ依ラサル」かぎりいつでも「之ヲ取消スコトヲ得」るものとしなければならない。(24)

右に反して、利息附消費貸借の場合には、その予約の効力は完全に認められる（この場合、第五五六条が準用される(25)）。のみならず、さらに進んで、諾成契約たる消費貸借も認めらるべきである。むしろ後者こそ、当事者の通常の意思に即したものであり、利息附消費貸借という行為を一個の統一的な取引の過程として把握したものというべきであろう。消費貸借の予約と諾成契約たる消費貸借とは異るものとして構成されるが、いずれにしても、目的物授受前に「当事者ノ一方カ破産ノ宣告ヲ受ケタルトキハ其効力ヲ失フ」(第五八九条の適用・準用)[26]。以上のように、利息附消費貸借の場合について諾成契約たる消費貸借を認める（賃貸借の場合にそうであるように）ことは、諾成契約の承認は有償契約に結びついたものであるという契約法の基礎的な理論[27]に照らしても、正当なものといわなければならないであろう。[28]

(24)　同旨、末弘・法律時報一一巻〔昭和一四年〕三二〇頁（↓同『民法雑記帳』〔昭和一五年〕一五五頁）。民法第五五〇条は「書面ニ依ラサル贈与ハ各当事者之ヲ取消スコトヲ得但履行ノ終ハリタル部分ニ付テハ此限ニ在ラス」（ここに「取消」とあるが、第一二六条の適用はない。大判・大正八年六月三日民録九六二頁、参照）という規定であるが、この但書については本書五一—三頁を参照。

(25)　民法第五五九条（「本節〔売買〕ノ規定ハ売買以外ノ有償契約ニ之ヲ準用ス但其契約ノ性質カ之ヲ許ササルトキハ此限ニ在ラス」）。第五五六条はつぎのような規定である。第一項「売買ノ一方ノ予約ハ相手方カ売買ヲ完結スル意思ヲ表示シタル時ヨリ売買ノ効力ヲ生ス」、第二項「前項ノ意思表示ニ付キ期間ヲ定メサリシトキハ予約者ハ相当ノ期間ヲ定メ其期間内ニ売買ヲ完結スルヤ否ヤヲ確答スヘキ旨ヲ相手方ニ催告スルコトヲ得若シ相手方カ其期間内ニ確答ヲ為ササルトキハ予約ハ其効力ヲ失フ」。

(26) 連帯債務者として借り受くべきであった者の一人が破産した場合にも同様に扱うべきである(大判・昭和一二年五月二六日民集七三〇頁以下、参照)。

(27) 本書三頁以下、参照。

(28) 四に述べたところにつき、もう少しくわしくは拙著『債権各論講義』〔上巻、昭和四〇年〕一〇九—一一一頁、参照。

第二　賃貸借における「信頼関係」の破壊と「解除」(1)

第一節　序

一

昭和三一年一二月二〇日の最高裁判所第一小法廷判決(民集一五八一頁以下)は、民法第六一二条(第一項「賃借人ハ賃貸人ノ承諾アルニ非サレハ其権利ヲ譲渡シ又ハ賃借物ヲ転貸スルコトヲ得ス」。第二項「賃借人カ前項ノ規定ニ反シ第三者ヲシテ賃借物ノ使用又ハ収益ヲ為サシメタルトキハ賃貸人ハ契約ノ解除ヲ為スコトヲ得」)の解釈に関連して、問題にする必要のある判決であった。

事案は、被上告人の一人であるY_1が上告人Xから賃借していた宅地をXの承諾を得ないで転貸したということを理由に、Xが契約を「解除」して地上建物の収去、その敷地の明渡を請求したというものであるが、原審の認定によれば、本件宅地上の建物はもとXの所有で、Y_1、Y_2、Y_3、Y_4らが、昭和九年から同十四、五年ごろまでの間にそれぞれXから賃借居住して菓子果物商、自転車修理販売業、医薬品販売業などを営んできていたところ、昭和二十年ごろにXから各借家人に対し賃借部分を譲渡したい旨の申入があり、資力のない者があって話がまとまらないので、Y_1が、後日各借家人に分譲する条件で一括して全部を買い受けると同時に同人において敷地全部をXから賃借したのち、昭和二十二年ごろ、および同二十五年ごろ、建物をY_2らに分譲し且つ同時にその敷地をそれぞれ転貸したところがXの承諾は得られなかった、というのである。原審は、まず、

「建物所有を目的とする土地の賃貸借においては建物の賃貸借の場合とは異りその土地使用者が変っても土地使用の点では殆んど影響のないのが普通であり賃貸人の利益は主として確実に地代の支払を受け得るかどうかの点にあるから賃借物の無断転貸のなされた場合においても土地の使用者に変動はあっても地代の支払義務者には変動がないのであるから賃貸人において賃貸借を解除することを無制限に許すことはできない。……すなわち賃貸人の賃貸借契約の解除並びに賃貸物の所有権の行使は民法第一条の趣旨に従い社会正義に照らし正当の理由あると認められる場合に限り許されるものといわねばならない」

と前提した上、上記のような事実関係のほか、さらに、Y_1らは「現住家屋を収去してこれを明渡すと他に住家を求めることは極めて困難であり、その生活に窮する」のに対して「X及びその妻は多数の田畑宅地その他の土地（宅地が約一万坪ありそのうち約八千坪を賃貸している）及び建物を所有しその年間固定資産税額は約三十二万円」であり「Xが本件家屋収去、土地明渡を請求するのはこの土地にデパートを建設せんとするにあること」を認定し、これに基いて、「Xは、Y_1のなした本件土地

の転貸によって殆んど不利益を受けるところはないし、またY_1となした賃貸借契約を解除しなければならないような特段の必要も認められないのに対しY_1らは本件の各家屋を収去し本件土地を明渡すことによってその住居を失い、数年ないし十数年の長きにわたって継続して来た営業を廃止せざるを得ないこととなり、その生活に対する脅威、経済的損害は甚大であり、現今の如く住宅が極度に払底している実情からみて社会経済上からも看過し得ない損失といわねばならない」として、一方ではXの「解除」権取得を認めると同時に、他方その行使および宅地の所有権に基く建物収去・土地明渡の請求を「権利の濫用」として排斥した。それに対してXが上告し、最高裁判所はこれを容れて原判決を破棄して差し戻したのである。その理由を一応ここに引用しておこう。

「民法六一二条は無断転貸による解除権の行使につき何等の制約も規定してはいない。建物の所有を目的とする土地の賃貸借においても必ずしも常に原判決のいうような事情があるわけではなく、むしろ賃貸物の使用者が何人であるかということは賃貸人の利害に関するところが少くはない。賃借地の使用状況はその使用者によって異り、その使用状況の如何は賃借地の経済的、物理的毀損に影響なしとはいい得ないのである。それ故法律は賃貸借の内容の如何を問わず一様に無断転貸を賃貸人に対する背信行為として賃貸借契約を解除し得べきことを規定したものと解せられるのである。元来法律上権利を与えられた者は任意その権利を行使し得るのが原則である。けだし社会生活においては所詮共同生活者相互の利害関係の競合は避け得られないのであるから、法律が一定の者のために一定の内容の権利を認める限り、それは必然的にその者の利益のために他の者の利益を排斥することを意味するものに外ならない。従って権利者がその権利を行使することによってたとえ他人に損害を生ぜしめることがあっても、ただその一事だけでこれを妨ぐべきいわれはない。しかし法律は一方に権利を認めた場合においても、他面その行使が往々他人に著しい損害を与える虞あるときは、特にその行使につき正当の事由あることを要請する等これが制約を規定する方途に出るのである（例えば借家法第一条ノ二の如きがそれである）。そして更に法律はその本質上道徳に対する背反を肯定することはできないのであるから、もし権利の行使が社会生活上到底認容し得ないような不当な結果を惹起するとか、或は他人に損害を加える目的のみでなされる等公序良俗に反し道義上許すべからざるものと認められるに至れば、ここにはじめてこれを権利の濫用として禁止するのである（民法一条）。然るに無断転貸による解除権の行使については、正当の事由あることを要請している法律の規定はない。借地法及び借家法においてさえ解除権の行使についてはかかる制約を規定してはいない。……されば……原審が無断転貸によりXにおいて本件賃貸借の解除権を取得したことを認めながらその解除権の行使について賃貸人たるX側の判示事情と賃借人たるY_1及び転借人……ら側の判示事情とを対比して正当の範囲を逸脱したものと判示したのは、無断転貸による解除権に関しては借家法一条ノ二の如き規定なきに拘わらずこれあるが如く解せんとした嫌があるばかりでなく、原審はY_1の民法六一二条一項違反によって本件賃貸借の解除権を取得したXにおいてその解除権を行使したのは、本件宅地にデパートを建設せんとする企図に出でたものであることを認定しているのであるから、たとえ本訴当事者双方に判示のような事情があったからとて、これを以って直ちにXの本件解除権ないし所有権の行使に信義誠実の原則にもとり、公序良俗に反し道義上許すべからざる権利の濫用ありとなすには足りない。それ故原判決が判示事実関係を認定しただけで権利の濫用ありとなしたのは民法一条の適用を誤った違法があり全部破棄を免れない。」

思うに、この判決は、一方では、「権利濫用の法理」に関する一個の見解を明らかにし、且つ、下級裁判所がしばしばあまりにも安易にもろもろの一般条項(2)に頼ろうとする傾向に警告を発したものとして、その意義を認められなければなるまい。しかし同時に他方、この判決は、民法第六一二条の解釈に関するかぎり、批判の余地あるものといわれなければならないように思われる。

最高裁判所は、賃貸人のなす賃貸借の「解除」に関して、昭和二十七年以来、注目すべき判例を打ち出してきた。民法第六一二条に関する昭和二十八年以降の判例は、その一環である。そして、それは、より新しい判決によって一そう完全なものにまで仕上げられることを必要としていたとはいえ、ともかく基本的にはすでに確乎たるものになっていた。ところが、上記の判決は、この判例をどのように理解しているのかを疑わせるものだったのである。

（1）　民法第六二〇条は「賃貸借ヲ解除シタル場合ニ於テハ其解除ハ将来ニ向テノミ其効力ヲ生ス」と規定しているが、ここにいう「解除」は、のちにも述べるように〔解約〕告知（〔Beendigungs-〕Kündigung）

にほかならない。しかし、本稿では、判例などの用語にしたがって一応「解除」の語を用いる。

（2） 今は詳論のいとまがないけれども、これに関し、さしあたり本書一一頁註9参照。

二

右に、最高裁判所が賃貸人のなす賃貸借の「解除」に関し注目すべき判例を打ち出してきたことを示唆したが、その概略を述べながら、本稿で扱おうとしている問題の説明にはいってゆくことにしよう。

賃貸借において、一定の事由がある場合には、賃貸人または賃借人は賃貸借を「解除」することができ、これにより、賃貸借は、将来にむかって消滅する（民法第六二〇条）。民法典の賃貸借の節には、賃借人に「解除」権を認めた規定として第六〇七条・第六一〇条・第六一一条第二項があり、賃貸人にそれを認めた規定として第六一二条第二項がある。しかし、賃貸人が「解除」をなしうるのは、この第六一二条第二項の場合のみにとどまらない。それ以外にも、賃借人の賃料不払、用方に反する使用収益その他の義務違背があったときに賃貸人が「解除」をなしうる場合のあることは、一般に認められている（もっとも、この場合、民法第五四一条の規定によるべきかどうか、という問題があり、のちに述べるように、本稿は第三節でこの問題を扱う）。そして、実際問題として重要なのが賃貸人のなす

「解除」の場合であることは、いうまでもあるまい。

ところで、賃貸人のなす「解除」をめぐり、ここ数年来、最高裁判所があいついで注目すべき判例を打ち出してきたのである（以下の諸判決で扱われた各事件における具体的な事実関係については、のちにふれるところがあるであろう）。

まず、昭和二七年四月二五日第二小法廷判決（民集四五一頁以下）は、

「およそ、賃貸借は、当事者相互の信頼関係を基礎とする継続的契約であるから、賃貸借の継続中に、当事者の一方に、その信頼関係を裏切って、賃貸借関係の継続を著しく困難ならしめるような不信行為のあった場合には、相手方は、賃貸借を将来に向って、解除することができるものと解しなければならない、そうして、この場合には民法五四一条所定の催告は、これを必要としないものと解すべきである」

とした。ここで扱われたのは、家屋の賃貸借において家主が明渡を請求した事件であったが、その後、今度は宅地の賃貸人が土地の明渡を請求した事件において、昭和三一年六月二六日第三小法廷判決（民集七三〇頁以下）は、「賃貸借は、当事者相互の信頼関係を基礎とする継続的契約であるから、賃貸借の継続中に当事者の一方にその義務に違反し信頼関係を裏切って賃貸借関係の継続を著しく困難ならしめるような不信行為のあった場合には、相手方は民法五四一条所定の催告を要せず賃貸借を将来に向って解除することができるものと解すべきであることは、すでに当裁判所の判示したとおりで

ある」として右の判決を引用し、その解釈をそのまま支持したのであった。

つぎは民法第六一二条に関する判例であるが、先頭を切ったのは、昭和二八年九月二五日第二小法廷判決（民集九七九頁以下）である。(3) 事件は宅地の賃貸借に関するものであったが、この判決においては裁判官の意見がわかれた。そして、つぎのような解釈が、多数意見（五人のうち三人）によって打ち出されたのであった。

「元来民法六一二条は、賃貸借が当事者の個人的信頼を基礎とする継続的法律関係であることにかんがみ、賃借人は賃貸人の承諾がなければ第三者に賃借権を譲渡し又は転貸することを得ないものとすると同時に、賃借人がもし賃貸人の承諾なくして第三者をして賃借物の使用収益を為さしめたときは、賃貸借関係を継続するに堪えない背信的所為があったものとして、賃貸人において一方的に賃貸借関係を終止せしめ得ることを規定したものと解すべきである。したがって、賃借人が賃貸人の承諾なく第三者をして賃借物の使用収益を為さしめた場合においても、賃借人の当該行為が賃貸人に対する背信的行為と認めるに足らない特段の事情がある場合においては、同条の解除権は発生しないものと解するを相当とする。」

それに対して少数意見は、「民法は賃貸人の承諾を得ない賃借権の譲渡、転貸それ自体をもって賃借人の背信的行為とみて規定をしているのである。それゆえ賃貸人の承諾を得ない賃借権の譲渡、転貸のうちに背信的行為になるものと背信的行為にならないものとを区別し、背信的行為になるものにのみ民法六一二条が適用され、背信的行為にならないものには右規定の適用がないという趣旨で立法されたものでないことは疑を容れないところである」というような解釈をとった(4)のであったが、このような解釈は——たしかにこの方が文理的には自然な解釈であるにもかかわらず——多数意見とならなかったわけである。

その後、今度は家屋の賃貸借に関する事件において、昭和三〇年九月二二日第一小法廷判決（民集一二九四頁以下）は、裁判官全員の一致でつぎのように述べた。

「民法六一二条二項が、賃借人が賃貸人の承諾を得ないで賃借権の譲渡又は賃借物の転貸をした場合、賃貸人に解除権を認めたのは、そもそも賃貸借は信頼関係を基礎とするものであるところ、賃借人にその信頼を裏切るような行為があったということを理由とするものである。それ故、たとえ賃借人において賃貸人の承諾を得ないで上記の行為をした場合であっても、賃借人の右行為を賃貸人に対する背信行為と認めるに足りない特段の事情のあるときは、賃貸人は同条同項による解除権を行使し得ないものと解するを相当とする。」

そうして、さらに昭和三一年五月八日第三小法廷判決（民集四七五頁以下）は、右両判決を引用して、「賃借人が賃貸人の承諾を得ないで賃借物の転貸をした場合であっても、賃借人の右行為を賃貸人に対する背信行為と認めるに足りない特段の事情あるときは、賃貸人は民法六一二条二項による解除権を行使し得ないことは当裁判所の判例とするところである」というに至ったのである。

以上のような趨勢は、少くとも二つの理由からわれわれの注意を促した。それは、第一に、これらの判決はいずれもまだ、充分に明確な解釈理論をうちたてるには至っていないという理由からである。この点は、上掲諸判決のうちの若干のものに対する学者の評釈によっても示唆されている。しかし、どのような形で解釈理論としての完成が進められるにせよ、それらの判決によって決定的に重要な意義を附与されたところの「信頼関係」とか「不信」行為とか「背信」行為とかの観念は、その重要性を失わないであろう。ところが、判例は、賃貸借契約を支える「信頼関係」とはどのようなものであるのか、「不信」行為あるいは「背信」行為とはどのような行為をいうのかということを、まだほとんど明確にしていない。それらは、どのようなものとして把握されているのであろうか。これが、上掲諸判決がわれわれの注意を促した第二の理由であった。

このようなわけでその後の判決が注意されていた矢先に、はじめに述べた昭和三一年一二月二〇日の第一小法廷判決が現われたのである。この判決は、民法第六一二条第二項を解釈して「法律は賃貸借の内容の如何を問わず一様に無断転貸を賃貸人に対する背信行為として賃貸借契約を解除し得べきことを規定したものと解せられる」とだけ述べているが、この言葉は、さきに引用しておいた昭和二十八年の第二小法廷判決における少数意見の口吻を思い出させるであろう。(5) しかし、最高裁判所が民法第六一二条に関して打ち出してきていた判例は、これによって動揺させらるべきものではない。本稿の第二節は、最高裁判所が賃貸人のなす賃貸借の「解除」に関して打ち出してきた判例のうち、まず民法第六一二条に関するもの、もっと厳密にいえば同条第二項による賃貸借の「解除」の制限に関する判例をとりあげて、それが何故に形成されなければならなかったのかを分析すると同時に、その運用に関連する最も重要な問題について論じようとするものである。本稿は、冒頭に紹介した判決に対する批評を直接の目的とするものではないが、しかしそれは、本稿の論述の過程においておのずからおこなわれるであろう。なお、第二節では、小作関係は一応これを視野の外におく。これについては法律上の取扱が借地関係および借家関係と異っているばかりでなく理論的にもこれらとは別個の分析を必要とする問題がその場合には存在するからである。

ところで、最高裁判所が民法第六一二条に関して打ち出してきた判例を是認するとしても、賃借権の無断譲渡ないし賃借物の無断転貸は賃借人の賃貸人に対する債務不履行であるとの観点から、その場合に民法第五四一条（「当事者ノ一方カ其債務ヲ履行セサルトキハ相手方ハ相当ノ期間ヲ定メテ其履行ヲ催告シ若シ其期間内ニ履行ナキトキハ契約ノ解除ヲ為スコトヲ得」）の適用を考えようとする見解がある。第三節はこの問題をとりあげ、そもそも民法第五四一条は賃貸借の場合にも適用さるべきものであるのかどうかという一般的な問題の検討をとおして、これに答えようとするものである。そして、この第三節において、さきに述べた判例のうち昭和二十七年に打ち出された最高裁判所の判例も論及されるであろう。

以上、二節の論述は、賃貸借における「信頼関係」の破壊と「解除」というテーマで貫かれるものであり、本稿は、第四節において、このテーマにささげられた以上の論述を総括する。

(3) 「小作地を無断転貸するということ自体はたとえ小作関係が人的信頼の関係を基調とするものであるとしてもその事情の如何を問わず、常に当然に農地調整法九条一項にいわゆる信義に反した行為であるとはいえない」とした昭和二七年一一月六日第一小法廷判決(民集九六三頁以下)は、ここに述べようとする判例と内容的に無関係なものではないが、しかし、民法第六一二条第二項に関するものとして形成された本文所述の判例に対して特に前駆的な意味をもつものではない。むしろ、この判決は、本文所述の判例が、賃借権の無断譲渡および無断転貸の取扱に関するかぎりで農地調整法第九条第一項をもカヴァーするものであることを、裏がきしているのだ、というべきであろう。このように理解することの意義は、農地調整法第九条の仕方による解約等の制限にかわって農地法第二〇条の仕方によるそれがおこなわれている(註77〔一六二—三頁〕参照)現在においては、特に大きいように思われる。

(4) 霜山裁判官の言葉。なお、少数意見はもちろん「権利濫用の法理」による制限はこれを認めるのである。

(5) なお、北村・法曹時報九巻〔昭和三二年〕一六〇頁、参照。

第二節　民法第六一二条をめぐって

一

明治以来、賃貸借法の中心的な課題を形づくってきたものは、誰の目にも明らかなように、賃借人の地位の安定に対する保障という問題であるが、このような課題が常に不動産賃貸借をめぐるものであったことは、いうまでもない。しかし、これは何故であったのか。一口でいえばこうである。すなわち、ここで問題となるかぎりにおいていえば、(6)なかんずくこの領域において賃貸借関係が同時に賃借人の資本の構成部分になるという現象が発展したために、その賃借人の地位の安定を保障することが資本制経済＝社会の一課題となり、また、この領域において賃貸借関係は多数の小市民・労働者の生活の――いいかえれば労働力の再生産の――不可欠の基礎を形づくるが故に、そのような賃借人の地位の安定を保障することがこれまた資本制経済＝社会の一課題となったからである。ところで、不動産賃借権が賃借人の資本の構成部分になるという点に着目する場合、その譲渡または転貸は、経済的にいえば、賃借物に投下した資本を動化しこれを貨幣形態に転化する手段としての機能をもつものとして重要なのであり、賃借権が賃借人の資本を構成する程度が高くなればなるほど、上記のような機能をもつその譲渡または転貸は経済的に必然となり、それに対する法的保護が必要となる。また、不動産賃借権は都市における多数の小市民・労働者の生活の不可欠の基礎を形づくるものであるという観点からみる場合、その譲渡または転貸は、需要に対して新たな賃借権の供給が不足しているときの補助手段としての機能をもつものとして重要なのであり、新たな賃借権の供給が不足がちになればなるほど（そのような現象は特に第一次大戦後にはきわめて顕著な形で表面化し、以来ほとんど改善されないのみならず、かえって深刻化した）(7)、上記のような機能をもつものとしての既存賃借権の譲渡または転貸は必然となり（第二次大戦後の極端な住宅不足が住宅緊急措置令による賃借家屋の一部貸付の勧奨ないし命令という制度をもたらしたのは、その最も露わな例である）(8)、それに対する法的保護が必要となる。このようにして、上述のような機能をはたすものとしての賃借権の譲渡または転貸に対して法的保護を与えることもまた、資本制経済＝社会の一課題となるのであり、それと矛盾するかぎりにおいてこれを賃貸人の個人的恣意から解放することが要請されるに至る。

ところが、民法第六一二条は、賃貸人が、その個人的恣意に基いて(9)、賃借権の譲渡または転貸を阻み、さらには賃借人の違反行為がそれ自体としては実質的に何ら重大なものでない場合でも現存賃借権を消滅させる口実としてそれを利用するということ、を可能にする規定である。

もちろん、このような規定が当初から不当なものであったとは必ずしもいえまい。不動産賃貸借

（もっとも、この場合、より正確には、不動産の賃貸借というよりも単に不動産の利用関係といっておく方が妥当であろう）の多くが人的な支配服従関係であり家父長制的な性格を帯びた封建的関係であったような時代には、そのような規定は決して不当なものではなく、むしろ、賃借人が賃借物を第三者に使用収益させようとする場合に賃貸人の承諾を得なければならないのはあたりまえのことであり、そうしなかった場合に賃貸人が賃貸借を「解除」するのは当然の「制裁」である、と意識されていたであろうが、民法制定の当時には、そのような意識を支える条件はおそらく存在していた。最も重要なのは、いうまでもなく小作関係である。しかし、小作関係のみならず、借家関係も、右のような意識を支えるものであったろう（「大家・店子」関係）。そして、おそらく借地関係も、その点で全くの例外であったとはいえまい。

しかし、わが国における資本主義の発展にともなって、不動産賃貸借の社会関係としての質が変化してくる。それは借地関係の領域で最も早く現われた。たとえば明治三十八年八月三十日附『法律新聞』の社説は、その当時の借地関係につき、「貸地人たり借地人たり地位自ら主客の差異あ」りとする意識のなお残存していることを若干の事実によって示唆しながらも、すでに「地主と借地人との関係たるや往々只金銭上の利益のみにして旧幕時代の情誼を求むるも決して見得べからざるものあ」るに至ったことを嘆じている。しかも、このような変化の傾向は、おそかれ早かれ他の領域においても現われざるをえない。われわれの問題にしている不動産賃貸借関係なるものが資本制経済の中に取り込まれてゆけばゆくほど、賃借人の地位の安定に対する保障が資本制経済＝社会の一課題になってゆくとともに、契約関係に対する賃貸人の関心は単純に賃料収取のみにあるものとして法的保護を与えらるべきものとなってゆき、このようにして漸次この契約関係は、資本制経済そのものによって物質的な関係に転化せしめられ且つそのようなものとしてのみ法的保護の体系の中にその位置を与えられるものとなってゆく。そして、そのような発展の進度に規定されつつ、賃借権の譲渡または転貸に対する法的保護という既述のような資本制経済＝社会の課題と民法第六一二条との矛盾が顕在化してくる。その矛盾の克服が法的課題となる。

立法面をみよう。当面われわれにとっては特に民法第六一二条第二項による賃貸借の「解除」の問題が重要なのであるが、その制限に関するものは何もない。しかし、賃借権の無断譲受人または無断転借人の保護に関するものとして、大正十年に、借地の場合につき、右のような矛盾の克服を指向する借地法第一〇条（「第三者カ賃借権ノ目的タル土地ノ上ニ存スル建物其ノ他借地権者カ権原ニ因リテ土地ニ附属セシメタル物ヲ取得シタル場合ニ於テ賃貸人カ賃借権ノ譲渡又ハ転貸ヲ承諾セサルトキハ賃貸人ニ対シ時価ヲ以テ建物其ノ他借地権者カ権原ニ因リテ土地ニ附属セシメタル物ヲ買取ルヘキコトヲ請求スルコトヲ得」）の制度が創設された。このいわゆる建物買取請求権の制度は、直接に民法第六一二条を修正したものではないが、実際上きわめて重要な機能をはたしてきている。

なお、他に注意さるべきものとしては罹災都市借地借家臨時処理法第四条（「前条の規定〔罹災借家人の借地権優先譲受権に関する規定〕により賃借権が譲渡された場合には、その譲渡について、賃貸人の承諾があったものとみなす。この場合には、譲受人は、譲渡を受けたことを、直ちに賃貸人に通知しなければならない。」）がある。

ところで、法の解釈・適用という領域ではどうであろうか。賃借権の無断譲受人または無断転借人の側の問題については、さしあたり、彼らは何ら賃貸人に対抗しうる権利を取得しないものとして取り扱われてきた(10)ということだけを述べておこう。では、民法第六一二条第二項による賃貸借の「解除」の問題はどのように取り扱われてきたであろうか。

（6）　前節で述べておいたように、小作関係については別個の分析が必要であるが、本節は一応これを視野の外においている。小作関係においては、賃借人（＝〔賃借〕小作人）の地位の安定の保障ということは、本文でつぎに述べようとする借地関係や、また借家関係の場合におけるとは異った、いわばきわめて屈折した形で、日本資本主義の要求となって出現したものであった。このことは、第三節の論述によって示唆されるであろう。なるほど、小作関係の領域においても、賃借権の譲渡は——すでに明治中期以降（渡辺洋三〔ほか〕『日本の農村』〔昭和三二年〕三二九—三三一頁、同「農業関係法（法体制確立期）」〔講座日本近代法発達史2所収、昭和三三年〕二一頁、参照）——ある程度おこなわれていた。大正元年の小作慣行調査は、「小作権ハ価値ヲ有シ小作株トシテ売買セラルルハ永小作地ニ於テハ普通ニ行ハルルモ一般小作地ニ於テハ比較的利益多キ土地又ハ小作地ノ少キ地方等ニ限リ行ハルルカ如シ」としており（農商務省農務局『小作慣行ニ関スル調査資料』〔大正二年〕四九頁）、大正十年の小作慣行調査も、「小作権ノ売買行ハルル事例ハ各府県トモ稀ニ之ヲ見ル」としている（農林省農務局『大正十年小作慣行調査』〔大正一五年〕二四七頁）。そして、すでに大正期に、たとえば「小作権が売買の目的となると云ふ事例は現在既に諸地方に行はれて居り、今後土地の売買乃至開墾に比較すれば其事例寧ろ増加すべき傾向があるのであって、小作権の交換財としての価値を保護するの必要あること今や極めて明瞭なのである。所が現在の法律〔民法第六一二条〕に依ると、……一度地主と小作人との間に感情の疎隔を生じ又は地主が特に悪意を抱くに至れば、小作人は其多年苦心経営し来りたる小作地乃至は他から相当の代価を以て買入れた小作株と雖も之を他人に譲渡して換価す〔る〕ことが出来ないことになる。かくして換価の能否は全く地主の随意に任かされて居るやうな結果に陥るのである。それは地主の利便のみを眼中に置いて考へれば当然のことかも知れない。けれども、社会一般の経済事情が自然に生み出し、従って一般には事実上承認されて居る所の小作権の交換財としての価値が地主の任意に依って根本的に否認せられるやうな法制が真に果して公正のものと謂ひ得るであらうか？」（末弘厳太郎『農村法律問題』〔大正一三年〕一六八―一七一頁）というような議論もなされていたのである。しかし、小作権の譲渡の能否を賃貸人の個人的恣意から解放し小作人が小作権の譲渡を権利としていないしうるようにするということは、何よりもまず、第一次大戦を契機として明瞭な兆候をみせはじめた小作関係の質的変化を是認し促進するという結果に導くべき変革の一環なのであり、このことは、日本の地主階級にとってのみならず全体としての日本の支配体制にとって重大な問題であった。大正十年七月の小作制度調査委員会第五回特別委員会で小作権の譲渡の自由を認むべきかどうかが論議された際にいわれたように（拙稿「大正期における小作立法事業の推移」法学二一巻〔三号、昭和三二年」三〇一頁、二九八頁、参照）「農村ハ一致スルヲ要ス」（横井時敬委員）るのであって「農村ニ権利義務ノ争ヲ生ジテハ破滅デアリ」、「譲渡スル前ニ地主ノ承諾ヲ要ストシ地主小作ノ協調ヲ主義トシタ方ガ良イ」（山田敏委員）とする立場こそ、まさに、地主制を包含する日本の支配体制全体の要求に合致するものであったというべく、かくして小作関係の領域においては、賃借権の譲渡は、借地関係および借家関係の場合について本文に述べようとするような理由に基く法的保護の必要性を確立しえないまま、統制（現在では農地法第三条）に服することとなったのである。

（7）その経済的基礎につき、たとえば川村泰啓「解約『自由』の原則とその『制限』」ジュリスト一一八号〔昭和三一年〕五頁を参照。

（8）昭和二一年勅令第二九八号によって追加された住宅緊急措置令（昭和二七年法律第一九号によって廃止された）第一三条の二以下の制度。

（9）賃貸人がその個人的恣意に基いて賃借権の譲渡または転貸を阻むことも民法第六一二条のもとでは可能であるということの最も露骨な表現として、かの横井時敬博士のつぎのような言葉をあげることができよう。「自由ニ小作権ヲ譲渡シ得ルモノトスルト地主ハ自分ノ嫌ヒナ人間ヲモ自分ノ土地ノ小作人トセネバナラヌ事ニナリ不都合ダ……自分ハ自分ノ嫌ヒナモノニ厭デモ応デモ小作サセネバナラヌトナッタラ大変ダ法華ノ地主ガドウシテモ南無阿弥陀仏ニハ貸サヌト云フノヲ無理ニ貸サセル様ニシテシマウト云フ理ハナイト思フ否単ニ彼ノ顔付ガ気ニ入ラヌカラ貸サヌト云フコトサヘモ出来ルノデアル」（傍点は広中。註6所引拙稿、法学二一巻三〇二頁、参照）。

（10）賃借権譲渡の場合につき、たとえば大判・明治三三年一二月一七日民録一一巻八三―四頁、大判・明治四四年三月一五日民録一三二頁、大判・大正七年九月三〇日民録一七八四頁、大判・昭和二年四月二五日民集一八六頁、大判・昭和七年三月七日民集二九三頁、大判・昭和七年一一月一一日民集二〇九三頁など（このような判例は一般に学者の支持をえているが、これに反対の学説も少いとはいえない。たとえば末弘『債権各論』〔大正七年〕六〇九―六一〇頁、鳩山秀夫『増訂・日本債権法各論』〔大正一三年〕四七七―八頁、石田文次郎『債権各論講義』〔昭和一二年〕一〇七頁、末川博『債権各論・第一部』〔昭和一四年〕一八八頁、三潴信三『契約法』〔新法学全集、昭和一五年〕二〇六頁、勝本正晃『契約各論・第一巻』〔昭和二二年〕二二八―九頁など。なお、判例にも、やや不明確なものがある。たとえば大判・昭和一一年二月一四日民集二〇一頁、最判・昭和二六年五月三一日民集三六一頁を参照）、転貸の場合につき、たとえば大判・明治四〇年五月二七日民録五九〇―一頁、大判・昭和六年一〇月三〇日民集九八七頁、大判・昭和一〇年六月一五日新聞三八五九号一一頁、最判・昭和二六年四月二七日民集三二六―七頁などを参照。

二

民法第六一二条第二項による賃貸借の「解除」を制限する最も手近な方法は、問題となる事実関係を賃借権の譲渡または転貸でないとし、あるいは賃貸人の承諾をえないで賃借人が賃借物の使用収益をさせている者をもって第二項にいわゆる「第三者」でないとする方法である。この種の方法が採られた最も著名な場合は、宅地の賃借人がその借地の上に建てた建物を第三者に賃貸し建物の敷地としてその土地を使用させる場合、であろう。(11) また、問題となっている事案において賃貸人の承諾を擬制し、あるいは黙示の承諾を認定するという方法も、ふるくから用いられた。しかし、これらの方法が役立ちえなかった場合には、民法第六一二条第二項による賃貸借の「解除」をほとんど躊躇なしにゆるすのが、大審院時代の判例であったといえる。

民法第六一二条第二項は、賃借人が賃貸人の承諾なくして第三者に「賃借物ノ使用又ハ収益ヲ為サシメタルトキ」に関する規定であるから、これを普通に読むかぎり、起草委員の一人である梅博士も述べたように、本項は「単ニ譲渡又ハ転貸ヲ約シタルノミニ因リテ其適用アルモノニ非ス必ス賃借人カ第三者ヲシテ物ノ使用、収益ヲ為サシムルヲ竢チテ始メテ之ヲ適用スヘキノミ」と解すべきであり、これについては特に問題もなかった。(12) では、いやしくも一旦「第三者ヲシテ賃借物ノ使用又ハ収益ヲ為サシメタルトキハ」現に使用収益させていなくても、本項による「解除」を承諾すべきか。また、賃借物の一部を使用収益させた場合でも「解除」は許され且つそれは全部について許さるべきなのか。――あとの問題を、借地関係の事件を扱った昭和三年の大審院の一判決は「背信」という言葉を用いながら肯定していう。

「賃借人カ賃貸人ノ承諾ヲ得スシテ賃借物ヲ転貸シタルトキハ賃貸人ハ特約ヲ云為スル迄モナク当然契約ヲ

解除シ得ルコトハ民法第六百十二条ノ規定スル所ニシテ斯ク同条カ賃貸人ニ解除権ヲ附与シタル所以ノモノハ賃借人ニ背信ノ行為アリタルカ為ニ外ナラサルヘク而シテ其ノ背信行為アリト云ヒ得ルニハ転貸カ賃借物ノ一部ナルト否トニ拘ハラサルヘキカ故ニ仮令賃借人カ賃借物ノ一部ヲ転貸シタル場合ニ於テモ別段ノ意思表示ナキ限リ賃貸人ハ契約全部ヲ解除シ得ルモノナリト云ハサルヘカラス」(13)

さらに、同じく借地の無断転貸の事件を扱った昭和十年の大審院の一判決は、両方の問に同時に答えていった。

「賃借人カ賃貸人ノ承諾ヲ得スシテ賃借物ヲ他人ニ転貸シタルトキハ賃借人ノ義務ニ違背シタルモノナレハ賃貸人ハ賃借人ニ対シ契約ノ解除ヲ為スコトヲ得ルハ民法第六百十二条ノ規定スル所ニシテ其ノ解除ノ意思表示ヲ為スノ際既ニ転貸借契約終了シタリトスルモ右意思表示ノ効力ヲ阻却スヘキモノニ非ス蓋シ縦令転貸借契約終了シタリトスルモ賃借人ノ義務違反ノ事実其ノモノハ遂ニ之ヲ如何トモスルコトヲ得サレハナリ」「土地ノ賃借人カ賃借地ノ一部ヲ賃貸人ノ承諾ナクシテ他人ニ転貸シタルトキハ賃借人ノ義務ノ一部不履行アリタルニ過キサルヲ以テ賃貸人ハ民法第六百十二条第二項ニ依リ右ノ転貸ヲ為シタル一部ノ土地ニ付テノミ契約ノ解除ヲ為スコトヲ得ヘキニ似タリト雖賃借人ハ賃借地ノ何レノ部分ヲモ転貸セサルヘキ義務ヲ負担セルモノナレハ其ノ一部分タリトモ他人ニ転貸シタルトキハ則チ賃借人トシテノ債務不履行トナルヲ以テ賃貸人ハ之ヲ理由トシテ賃貸借契約ノ全部ヲ解除スルコトヲ得ヘキモノトス蓋シ債権者ハ債務ノ一部履行ヲ受領スル義務ナキト等シク原則トシテ契約ノ解除ヲ其ノ一部ニ制限スヘキ義務ナキモノナレハナリ尤モ賃借人

ノ転貸ヲ為シタル部分ニシテ極メテ僅少ナル場合ニ賃貸人カ之ニ藉口シテ前示法条ニ依リ解除権ヲ行使スルカ如キハ条理ニ背反シ法律上許スヘカラサル場合ナキニシモ非スト雖原判決ノ認定スル所ニ依レハ上告人先代ハ賃借地百八十七坪二合八勺中五十五坪ヲ被上告人ノ承諾ナクシテ訴外人ニ転貸シタルモノニシテ其ノ地域甚タ狭少ナリト言フヘカラサルヲ以テ被上告人カ上告人ノ義務不履行ニ基キ賃貸地ノ全部ニ付契約ノ解除ヲ為シタルハ不当ナリト謂フヲ得ス」(14)

この判決に対しては、「現に転貸借の終了せることを主要なる一ファクターとして更に諸般の事情を斟酌してX〔被上告人＝賃貸人〕の解除を権利濫用と認むる余地なかりしや否やを慎重に考察すべきであると思ふ」(15)というような学者の意見もあったが、さらに五年後にはつぎのような判決が現われて、そのような期待の実現されがたいことが示された。すなわち、賃借権の無断譲渡を理由に契約を「解除」され借地の明渡を請求されて一審・二審と敗訴してきた賃借人側から、

「被上告人〔賃貸人〕ノ請求ハ権利ノ濫用ナリ本件ハ純理論ヨリスレハ契約解除ノ原因発生シタリト雖（表面ハ転貸トナルモ事実ハ地上家屋ヲ担保トシテ借金ヲナシ買戻ノ特約ノ下ニ所有名義ヲ変更シタルニ過キス従テ依然トシテ上告人倉持由三郎〔賃借人〕カ居住シ家屋税ヲ納付シ商業ヲ営ミ被上告人ニ対シ地代ノ支払ヲ延滞シオル事実モナク又本件建物ハ……訴訟進行中ニ買戻ヲナシ原状ニ回復セルモノナリ……）被上告人ニ対シ何等ノ実害ヲ与ヘス訴訟進行中ニ原状ニ回復セルモノニシテ換言スレハ訴訟進行中ニ請求原因解消シ争フヘキ実体ナキニ至リタルモノナリ此ノ判決ヲ仮リニ執行センカ二千余円ヲ投シテ建築セル建物ヲ取毀ス

コトトナル上ニ上告人倉持由三郎ハ営業ヲ継続スルコトヲ得ス其ノ生活ヲ脅カスコトトナルノミニシテ被上告人ニハ大シタ利益ヲ齎ラササルモノナリ……被上告人ハ解除権ノ行使ヲ強行スルニ急ニシテ経済的ニ他人ノ利益引イテハ国家ノ利益ヲ害スルコト甚大ナルヲ顧ミサルモノニシテ即チ権利ノ濫用ナリト云フヘシ」

というような理由を述べて上告してきた事件において、大審院はつぎのように答えたのである。

「然レトモ上告人由三郎ニ於テ本件建物ヲ譲渡スト共ニ其ノ敷地タル本件土地ノ賃借権ヲ被上告人ノ承諾ナクシテ上告人幸作及和平ニ譲渡シタルコト判示ノ如クナル以上被上告人ハ右譲渡ヲ理由トシテ上告人由三郎ニ対シ同人トノ間ノ賃貸借契約ヲ解除シ得ヘク仮令右解除ノ結果該宅地上ニ二千余円ノ費用ヲ以テ建設セラレタル建物カ取毀サルルコトトナリ又上告人由三郎カ右場所ニ於テ従前ノ営業ヲ継続スルコトヲ得サルニ至ルコト其ノ他所論ノ如キ事実アリトスルモ斯ノ如キ事実ハ未タ本件ニ於ケル解除権行使ヲ以テ権利ノ濫用ナリト断スルヲ得ス」(16)

この判決に対しては直ちに学界から疑問が投げかけられた。(17) ある学者は、上告人たる賃借人に有利な判決が下されてもよかったように感ぜられるとしたあと、「殊に現下の社会経済の事情をも考へよ」とつけくわえた。(18) まことに、当時の「社会経済の事情」は住宅事情に関しても緊迫したものになっていた（ちなみに、昭和十三年には国家総動員法が公布施行されており、翌十四年にはそれに基く地代家賃統制が始まり、昭和十六年には借地借家法改正がおこなわれている）。そして、その後「社会経済の事情」がますます悪化の一途をたどったことは、あらためていうまでもない。

しかも、住宅事情は敗戦後さらに悪化した。下級裁判所は、現実の社会的必要と民法第六一二条との矛盾を前にして、ますます苦慮せざるをえなくなった。「この間に処し、裁判所が如何にして具体的妥当な裁判を為すべきか」に関しては、かつてある学者が、前掲昭和十年の大審院判決を論じつつ、「黙示の承認」を利用することを強く勧めたが[(19)]、下級裁判所がこの種の方法の利用につとめたことはもちろんである。しかし、敗戦後の「社会経済の事情」のもとにおいては、それだけでは足りなかった。このようにして、下級裁判所は、しばしば別の方法に頼ることを余儀なくされた。そして、よく知られているように、その中でも特に目立つ傾向として、「信義誠実」とか「権利の濫用」とかいうような言葉に依存しながら「具体的妥当な裁判」をなそうとする多くの下級裁判所判決が、つぎつぎと現われるに至ったのであった（のちに本節三で引用する下級裁判所の諸判決の中に、それらの例がふくまれている）。

そのような推移のあとをうけて出現したのが、昭和二十八年の第二小法廷判決を皮切りとする最高裁判所の判例である。そして、そこでは、「信義誠実」とか「権利の濫用」とかいうような言葉は全く用いられていなかった。

さて、ここまでみてくれば、民法第六一二条に関する昭和二十八年以降の最高裁判所の判例（第一節の二に引用しておいた二八年九月二五日第二小法廷・三〇年九月二二日第一小法廷・三一年五月八日第三小法廷の各判決）のもつ意義は明らかであろう。民法第六一二条が修正されなければならなくなった社会的根拠は、一に述べたとおりであり、法の解釈・適用という領域で同条第二項による賃貸借の「解除」の問題がどう扱われてきたかは、二でこれまでにみてきたとおりである。同条同項による賃貸借の「解除」をどのようにして制限するかは、年とともに重大な課題となった。そして、大審院がその点でいわば積極的でないのに対して、学者は「権利濫用の法理」を用いるべきことを強く示唆するようになった。戦後さらに悪化した住宅事情は、右の課題を一そう重大なものにした。遂に多くの下級裁判所は、この課題に直面して、「権利濫用の法理」を用いたり、あるいは「信義誠実の原則」に頼ったり、また一般に「民法第一条」を持ち込んだりする方法で、「具体的妥当性」をかちとろうとするに至った。しかし、あらかじめ用意されていた「権利濫用の法理」は、これをもって課題に立ちむかうべき「理論」としては不充分なものであった（なぜなら、賃貸人が民法第六一二条によって与えられている権利をどのように行使するかが問題なのではなく、その民法第六一二条それ自体が現実の社会的・経済的要請に矛盾するものとなるに至っているのをどうするかが問題になっているのだから）し、一般的にいって、右のような方法は、あまりにも安易に「権利の濫用」とか「信義誠実」とかいうような言葉に頼るという傾向を生む危険性をはらんでもいた（そのことは、下級裁判所の判決を一つ一つ検討してみれば明らかになるであろう。第一節の一で述べたように、昭和三一年一二月二〇日第一小法廷判決は、このような傾向に警告を発したものとしてその意義を認めらるべきである）。だから、民法第六一二条第二項による賃貸借の「解除」を制限するための別の方法が、右のような方法に取って代わらなければならなかった。昭和二十八年以降の三つの判決は、そのような意味をもつものなのである。(20) これらが、上記のような方法に取って代わったものであることは、三つ目の判決、つまり昭和三一年五月八日第三小法廷判決によって、自覚的に示されている。すなわち、同判決は、第二審裁判所が（それまで多くの下級裁判所がいってきたと同じように）「……叙上諸般の事情を綜合するときは、右の〔無断〕転貸を理由とし直ちに訴状の送達を以て賃貸借の解除を為し家屋の明渡を請求するのは著しく信義の法則に違反するもので解除は無効である」というふうにいって賃借人を勝訴せしめたのに対し賃貸人が「何等信義の法則に違反するものでない」と論じて上告したのを却けながら、しかも「信義」云々の問題には全然ふれないで単につぎのようにいったのであった。

「賃借人が賃貸人の承諾を得ないで賃借物の転貸をした場合であっても、賃借人の右行為を賃貸人に対する背信行為と認めるに足りない特段の事情あるときは、賃貸人は民法六一二条二項による解除権を行使し得ないことは当裁判所の判例とするところである（……〔最初の判決および二つ目の判決を〕参照）。そして原審の認定した一切の事実関係を綜合すれば、被上告人の本件無断転貸は賃貸人に対する背信行為と認めるに足りない特段の事情があると解するのが相当であって、原判決が右解除を無効と判断したのは正当である。論旨引用の判例〔昭和二八年一月三〇日第二小法廷判決・民集一一六頁以下――のちに三でふれる〕は本件と事実関係を異にし、本件に適切でない。論旨は理由がない。[21]」

ところで、「背信」とは何か。――上述のようにして形成された新しい判例によって、「背信」という観念が決定的に重要な意義を附与されるに至ったことは、すでに（第一節の二で）指摘しておいたところであるが、それがどのような内容のものであるのかを明確にすることによってはじめて、この判例のもつ意義の理解は完全なものになるであろう。

この判例にいわゆる「背信」は、本節一の論述からおのずから明らかなように、特殊的に人的（マックス・ウェーバーのいわゆる persönlich）なものとして理解されてはならない。今日の不動産賃貸借における「信頼関係」、したがってまた当面の問題である「背信」は、むしろ即物的（ザッハリッヒ）（sachlich, unpersönlich）なものとして法的にサンクションさるべきものである。

右に「本節一の論述からおのずから明らかなように」とだけいったけれども、あるいは若干の補足が必要かも知れない。賃貸借（本稿では賃貸借だけを問題にしておく）が「信頼関係」を基礎とするものであるということは、おそらく誰も否定しないであろう。ただ、問題は、それがどういう「信頼関係」なのか、である。賃借権の譲渡または転貸に賃貸人の承諾を要求することにしなければ――

たとえばフランス民法第一七一七条（禁止の定めのないかぎり賃借人に賃借権の譲渡または転貸の権利があることを規定する）のような立場をとったのでは――当事者間の「信頼関係」を基礎とするものとして賃貸借関係を取り扱ったことにならない、というわけでは決してない。かの梅博士は、民法第六一二条につき、「旧民法ニ於テハ外国ノ多数ノ例ニ倣ヒ譲渡及ヒ転貸ヲ許スヲ本則トセリト雖モ新民法ニ於テハ我邦ノ多数地方ノ慣例ニ倣ヒ原則トシテ之ヲ許ササルコトトセリ」と述べたが、[22] これは、要するに、旧民法が範とした「外国ノ多数ノ例」においてみられるような賃貸借の取扱[23]（それらとても、そこにおける「信頼関係」を否定したものではない）は「我邦」に妥当でなく、むしろ「我邦ノ多数地方ノ慣例」の中になお生きているような[24]（賃貸借における）「信頼関係」を基礎とするものとして賃貸借が取り扱わるべきこと、を述べたものなのであった（そのようにして今度はドイツに範が求められたわけであるが、ドイツ民法典は後述のように日本よりも適切な規定を設けている）。問題は、同じく「信頼関係」といっても二種類のものがあるということ、[25] したがってまた、同じく「背信」といってもそこでは二種類のものが区別されなければならないということ、である。そして、昭和二十八年以降の最高裁判所の判例における「背信」を、さきに述べたようなものとして把握しなければならないということ、それが、「本節一の論述からおのずから明らか」であろうといったわけである。[26]

以上で、昭和三十一年に第三小法廷判決が「当裁判所の判例」とよんだところのもののもつ意義は、明らかになったであろう。この判例は、それがどのように理由づけられるか（たとえば最初の判決および二つ目の判決を参照）にかかわりなく、明治二十九年法律第八十九号（民法）第六一二条を修正するために、定立さるべくして定立されるに至ったところの一つの法命題（Rechtssatz）であることが、率直に承認されなければならないであろうと思われる。

(11) 大判・昭和八年一二月一一日裁判例（七）民二七七頁以下、参照。

(12) 判例もある。たとえば、大判・昭和一三年四月一六日判決全集五輯九号八頁。なお、本文中の引用は、梅謙次郎『民法要義巻之三』〔増訂、明治三八年〕六五五頁より。

(13) 大判・昭和三年八月八日新聞二九〇七号一二頁。

(14) 大判・昭和一〇年四月二二日民集五九一―四頁。

(15) 山中康雄・法学協会雑誌五三巻〔昭和一〇年〕一八三六頁（→『判例民事法』同年度四一事件評釈）。

(16) 大判・昭和一五年三月一日民集五〇八―九頁。

(17) 末川・民商法雑誌一二巻〔昭和一五年〕五三〇頁以下、内田力蔵・法学協会雑誌五八巻〔昭和一五年〕一四〇五頁以下（→『判例民事法』同年度二五事件評釈）、黒川真前・法学新報五一巻〔昭和一六年〕一二七頁以下、など。

(18) 内田・法学協会雑誌五八巻一四〇九頁。

(19)　石田・法学論叢三三巻〔昭和一〇年〕六八四頁。

(20)　最初の判決を批評したある学者は、その少数意見を支持しつつなおも「解除権の行使は、……信義誠実の原則・権利の濫用の禁止の法理によって、制限を受けなければならない」という形でのみ民法第六一二条第二項による「解除」の制限を考えようとしている（中川淳・民商法雑誌三〇巻〔一号、昭和二九年〕七二頁）が、このような判例が何故に形成されなければならなかったかを分析しないためにこの学者がそれのもつ意味を理解しえなかったのだということは、否定しえないように思われる（この批評がその事案における「解除権……行使が民法第一条によって制限せられるものか否か」を考察して「決して権利の濫用になるものとは思われない」という結論に到達したことは当然であろう）。なお、星野英一・法学協会雑誌七二巻〔四号、昭和三〇年〕四一八―九頁の的確な把握を参照。

(21)　この判決におけると同様に、昭和三一年一二月二〇日第一小法廷判決においても、「賃借人の無断転貸を賃貸人に対する背信行為と認めるに足りない特段の事情」がないかどうかという観点から所与の事案を検討してみる余地はあった――少くとも、そういう観点から原裁判所が裁判する余地はなかったかどうかに言及することが望ましかった――ように思われる。なお本節三（三）参照。

(22)　梅・註12所引書、六五三頁。旧民法の取扱を覆えして民法第六一二条を実現するに至った要因につき、川村「借家の無断転貸と民法第六一二条」法学新報六三巻〔昭和三一年〕二六四―八頁、参照（同一三〇頁註4に言及されている梅博士の説明に関しては日本学術振興会謄写『法典調査会民法議事速記録』三三巻七六―八丁が参照さるべきである）。なお、民法第六一二条を小作関係に関するかぎりで立法的に修正しようとした大正十年における当時の進歩的農務官僚の試みとその流産のいきさつにつき、註6所引拙稿を参照。

(23) ちなみに、ボアソナード「賃貸借ニ関スル再次ノ意見書ニ対スル答案」(一八八八年〔明治二一年〕一〇月二六日附)はいう。「抑々賃貸借ハ人ヲ主眼トシ締結スルモノニアラス人ヲ主眼トスル賃貸借ハ唯独リ分果小作ノミ」(日本学術振興会謄写『民法編纂ニ関スル諸意見並雑書(一)』一四八丁)。なお、「分果小作」の場合に原則として賃借権の譲渡および転貸を禁じていたフランス民法第一七六三条は、一九四六年に廃止された。

(24) たとえば註47を附した本文の引用文〔本書一三三頁〕を参照。

(25) このことに関し、本書五四―五頁の Treue (Treue と Treu und Glauben) に関する論述(註とも)を参照。なお、最近ローマ法学者の中から、「一般に fides と言われているものについては、閉鎖的な共同体の内部における拘束力たる fides と、開放された取引社会における拘束力たる fides を区別しなければならないと思う」という注目すべき発言が現われた(片岡輝夫・国家学会雑誌七〇巻〔昭和三一年〕四三六頁)――この問題の実証的研究はローマ法の研究にとって最も重要な課題の一つであろうと思われる――ことも、本文に述べたこととの関連でここに紹介しておかなければなるまい。

(26) 椿寿夫・民商法雑誌三四巻〔六号、昭和三二年〕九九一頁以下も同じ趣旨のことを述べているものと思われる。なお、川村・註22所引論文、法学新報六三巻一二二―三頁、また後出註94、参照。

三

昭和三十一年に最高裁判所の第三小法廷によって「当裁判所の判例」とされたところのもののもつ意義は、以上で明らかとなった。また、この判例において決定的に重要な意義を附与されているところの「背信」という観念はどのような内容のものとして把握さるべきであるかも、明らかにされた。そして、それをどのようなものとして把握するかは、いうまでもなく、理論的にのみならず実際の運用という点からいっても、きわめて重要な問題である。では、さらに、具体的にどのような場合が、「背信」行為ありというべきでない場合なのであろうか。――この点について若干の類型的標識を指摘することは、今後の裁判において「背信」が常にザッハリッヒなものとして理解されるようにするための一助ともなりうるであろう。

ところで、このことに関しては、上記の判例が確立されるまでに種々の事案について民法第六一二条第二項による賃貸借の「解除」を抑えようと正当な努力をはらった戦後の少からぬ下級裁判所判決が、顧みられなければならないと考えられる。なるほど、それらの多くがとった方法は、「権利濫用の法理」を用いたり、あるいは「信義誠実の原則」に頼ったり、また一般に「民法第一条」を持ち込んだりするという方法であった。しかし、判例によって新たな法命題が形成されてゆく過程でいわば便宜的な方法がとられたとしても、それによって当然に、そこでの結論が不当なものであったと考えなければならないことになるわけでは決してない。それらの下級裁判所判決は、あい集まって、判例による新たな法命題の形成を導く基盤となったものなのであり、それの理解のためにこれらの下級裁判所判決もまた参照さるべきは、むしろ当然である。

そこで、以下、どのような場合が「背信」行為ありというべきでない場合なのかにつき、右のような意味をもつ諸判決をも参照しながら、若干の類型的標識を試みに指摘してみることにしよう。

（一） まず、個人企業を営む賃借人がその経営を法人組織に改めた場合のように、元来の賃借人と賃貸人の承諾なしに使用収益を始めた者とが同一営業をなすもので単に形式的に異っているにすぎないという場合には、原則として「背信」行為はないとすべきである（個人企業を法人組織に改める動機は税金対策であることが多いが、たとえば神戸地判・昭和二五年五月二六日下裁民集八〇五頁以下、東京地判・昭和二五年七月一五日下裁民集一一〇九頁以下、東京地判・昭和二六年一〇月一一日判例タイムズ二一号五四頁、長崎地判・昭和二九年三月二〇日下裁民集三八六頁以下、なお特定郵便局長服務規程の廃止に伴い特定郵便局長が郵便局舎として借り受けていた建物について国と転貸借関係が生じた場合に関する大阪地判・昭和二九年五月三一日下裁民集七九八頁以下などを参照。かの昭和三〇年九月二二日第一小法廷判決で扱われた事件は、寝具の製造販売を業とする賃借人たる施設組合が商工協同組合法施行に伴い行政官庁の認可があれば同法によって設立された商工協同組合とみなされることになったところ商工協同組合には指定繊維資材の割当がなされず且つ生産部門と販売部門との兼業も認められないというのでやむをえず解散した上その事業を継続するために製造と販売とを各別に担当する二個の有限会社を設立してこれに組合の権利義務の一切を引き継いだ、という場合に関するものであった）。なお、賃借権の共同相続人相互間でその持分の譲渡がなされる場合も、同様に解されなければならない（東京地判・昭和二七年七月二一日下裁民集一〇〇二頁以下↓最判・昭和二九年一〇月七日民集一八一六頁以下）。

（二）　一旦は賃借権の無断譲渡または無断転貸がなされたけれどもすでに原状に復し現在は承諾なしで第三者に使用収益をさせているという事実がない場合には、もはや「背信」行為は存在しないとみるべきで、賃借人が将来ふたたび同様の行為（「背信」行為）に出るおそれのあることが明らかでないかぎり、[27] 民法第六一二条第二項による「解除」は認められないと解すべきであろう（かの昭和三一年五月八日第三小法廷判決で扱われた事件ではこのような事実関係が存在していた。なお、名古屋高判・昭和二五年四月一三日下裁民集五四三頁以下、神戸地判・昭和二五年六月二六日下裁民集九九六頁以下などを参照）。いわゆる「失効の原則」を認めたものとして有名な最高裁判所の判例（昭和三〇年一一月二二日民集一七八一頁以下）で扱われた事件においては、違背事実をすでに終止させている場合の「解除」が容認されていたようであるが、これは、事実が賃借人側のいうとおりで且つその主張・立証が的確になされていたとしたら賃貸人側が敗訴せしめらるべき事件であったように思われる。

（三）　建物その他の地上物件の譲渡とともに宅地の賃借権の譲渡または転貸がなされた場合には、原則として「背信」行為は存在しないと解してよいであろう[28]（たとえば東京地判・昭和二六年六月二〇日下裁民集七八三頁以下など、なお東京地判・昭和二七年七月一日判例タイムズ二三号六二頁を参照。[29] 第一所引の昭和三一年一二月二〇日第一小法廷判決が破棄した原判決(仙台高裁秋田支部昭和二九年三月二二日)もその一例であり、その事件では、やはり「解除」は許さるべきでないと考えられる。もっとも、その事案では、昭和二十年ころXから「借家人に対し賃借部分を一括して譲渡したい旨」の申入がなされたのに資力のない者があって話がまとまらないのでY_1が「後日各借家人に分譲する条件で一括して全部を買受け同時に同人が敷地全部をXから賃借した」時に「黙示の承諾」があったものとなしうべく、且つその時にその承諾は撤回しえないものとなったとすることができたのではないかとも思われる)。[30]

(四) 賃借家屋の一部転貸として扱わるべき間貸が賃貸人の承諾なしになされた場合でも、従前の使用方法と格別の差異を生ずることもなく且つ賃貸人に対して何ら実質的損害を及ぼすに至る危険もないことが認められるかぎり、そこに「背信」行為はないとすべきであろう(たとえば、大阪高判・昭和二四年二月一六日高裁民集一六頁以下、福岡高判・昭和二五年四月一〇日下裁民集五三二頁以下、大阪地判・昭和二五年六月一二日下裁民集八八一頁以下、[31] 東京地判・昭和二五年九月一一日判例タイムズ七号六二頁以下、名古屋高判・昭和二九年六月二三日高裁民集五六〇頁以下などを参照)。[32] 最高裁判所はむしろ反対のようである(たとえば昭和二八年一月三〇日民集一一六頁以下)が、首肯しえない。

(五) 最後にもう一つ。一般に、賃借人が賃貸人の承諾を得ないで第三者に賃借物の使用収益をなさしめた場合には、賃貸人は、原則として、第一次的には当該行為を停止させることにつき利益を有するものとして法的保護を与えらるべきである。したがって、その場合に賃貸人に対して停止請求権が認めらるべきことは当然として、さらに、賃貸人が「解除」をなしうるためには、それ以前に賃貸人が賃借人の右行為に対して制止をなした事実のあることも必要であると解するのが妥当と思われる。この点について示唆に富むのはドイツ民法における取扱であろう。ドイツ民法典は、賃借人（Mieter〔使用賃借人〕）またはこれより賃借物の使用をゆだねられた者が、「賃貸人の制止にもかかわらず」〔ungeachtet einer Abmahnung des Vermieters〕、賃貸人の権利をいちじるしく害する契約違反の使用を継続する場合、特に、権限なくして使用をゆだねた第三者の使用を放置し、または賃借人の用うべき注意の懈怠によって賃借物をいちじるしく危殆ならしめる場合」に、賃貸人は告知期間を保つことなく告知をなしうるという規定を設けており（第五五三条）、しかも、判例によれば、第三者に使用させている場合の制止については、賃借人に対して第三者を除去するに相当な期間が許与されなければならず（RG. JW. 1920, S. 140）且つ違法状態が除去されたのちは――それが期間経過後であった場合でも――告知は許されないとされている（RG. HRR. 1933, Nr. 282）。ドイツ民法におけるこの取扱は、まさに賃貸借関係における「信頼関係」をザッハリッヒに且つ対等の関係における相互的なものとして律しようとするものであり、そのようなものとして、それはわれわれが参考とすべきものであると考える。もちろんドイツ民法における扱い方を直ちにそのまま採用すべきだというのではないが、しかし、少くとも、賃貸人が賃借人の違背行為を知りながら一度も「制止」をしていないかぎりは、他の事情を精査するまでもなく、原則として当該行為を未だ賃貸人に対する「背信」行為にはあたらないものと認めてよいのではないかと思われる。そうすれば、かなり多くの事件が簡単に解決されうることになる（たとえば、借家人を追い出そうと口実をさがしていた――したがって違背行為の停止は全然これを望んでいない――家主の場合[33]）ばかりでなく、民法第六一二条第二項による賃貸借の「解除」の許される場合と許されない場合との区別がより明確な客観的な標準によってなされうることになるであろう。

（27） この点において、昭和三二年一二月一〇日第三小法廷判決が、「……本件において、原判決は、上告人〔賃借人〕が大塚、篠原らに対する無断転貸に至るまで無断転貸を反覆累行した経緯のほか、大塚らが退去したのは賃貸人の苦情に由来し、同人らの発意に基いたものであった事実をも認定した上、大塚らに対する無断転貸をもって『賃貸借の相信性を破壊するに足る背信行為であるというに妨げなきは勿論』であるとするとともに、『解除当時たまたま転貸が終了していても、それがため信頼関係が回復され将来の不安が去ったものと認めがたいことはいうまでもないところ』であると判定しているのであり、その判定は首肯するに足るものであって、かかる場合につき原判決が、『本件解除当時における転貸終了の事実はなんら解除の効力を阻却しない』と判断したのはもとより正当であ」る（民集二一〇四―五頁。傍点は広中）

といっていたのは、原審における事実の認定ないしその評価の是非はしばらく措き、是認されてよいと思われる。ただ、このような場合には、本文の記述で示唆しておいたように、賃借人が将来ふたたび同様の行為に出るおそれのあることを賃貸人において主張・立証する必要があると解すべきであろう。

(28) ちなみに、間貸（これについては本文でつぎに述べる）を扱った事件においてであったが、かつて大審院は、「賃借人ノ何人ナルカハ賃貸人ノ利益ニ関シ至大ノ関係ヲ有スル事項ニシテ賃借人ノ資力性行職業等異ナルトキハ自ラ物ノ使用収益ノ程度方法等ニモ差異ヲ生スヘク且賃料ノ支払ニ付テモ亦別異ノ結果ヲ生スヘシ是レ民法第六百十二条第一項ニ於テ賃借人ハ賃貸人ノ承諾アルニ非サレハ其権利ヲ譲渡シ又ハ賃借物ヲ転貸スルコトヲ得スト規定シタル所以」なりとした（大判・大正八年一一月二四日民録二〇九九頁）ことがある。しかし、建物所有を目的とする土地の賃貸借の場合には、「使用収益ノ程度方法」に差異を生ずべきことは考慮の必要がほとんどないのであって、最高裁判所の一判決がいったように「貸主がもともと貸地とする意見〔思?〕で賃貸する普通の貸借においては借主が何人であっても地代さえ取れれば貸主の当初の目的は大体達せられる」のであり、しかも「地代については人的に信頼がなくても地上建物が担保となり得る」（最判・昭和二九年七月二〇日民集一四一六頁〔傍論〕）のであるから、今日、民法第六一二条の右のような理由づけは、少くとも建物所有を目的とする土地の賃貸借の場合には通用しないといわざるをえないであろう。

(29) これらに用いられている論理からすれば、無断譲渡・転貸を禁ずる特約の有無は、原則として結論を左右しないであろう。なお、かの昭和二八年九月二五日第二小法廷判決は、「賃借土地の転貸等は絶対に為さないこと。借地人において契約事項に違反したときは、本件土地に対す〔る〕権利を失う」という特約を「賃借人に……背信的行為ある場合の制裁を定めたもの」と解釈した原審の判断（東京高判・昭和二五年三月二五日）を「正当」としているが、右第二小法廷判決はこの点でも先例的価値をもつものとみるべきである。

(30) ちなみに、最判・昭和三〇年五月一三日民集六九八頁以下を参照（この判決の意義につき、拙著『債権各論講義』〔上巻、昭和四〇年〕一七一頁、参照）。

(31) 本判決の述べているところは注意されてよいものであった。いわく、「……使用者がその建物を他から賃借している者であり、従ってその一部を貸与することが転貸借となるときにおいても、その転貸借によって建物の使用方法に重大な変化を生じ賃貸人をしてその転貸借にも拘らず賃貸借を継続せしめることが苛酷であるときとか、その他転貸借成立の経緯、その内容など自体が賃貸人に対して不信なものであるとか、要するに転貸借が賃貸人に対する不信行為であると考えられる場合でない限り、賃貸人は賃借人から転貸借の承諾を求められたときにこれを拒むことができないものというべく、従ってまた右承諾を求められたと否とに拘らずその承諾のないことを理由として賃貸借を解除することができないものといわなければならない。そうしてこの理は転貸借及び賃借〔権〕譲渡を禁じ、またそのいずれにも該当しない同居をも禁ずるとの特約が賃貸借につけられている場合に、賃借人がその特約に反したときにもまた同様である。」と（傍点は広中）。なお、東京地判・昭和三三年一〇月三日下裁民集二〇〇一頁、参照。

(32) 下級裁判所の判決においては、間貸が特に営利の目的なしになされたのかどうか、ということがしばしば重要視されている。下級裁判所のこのような態度は、間貸が特に営利の目的なしになされている場合には一般に家屋の合理的使用の継続が期待されうる（間借人が間代を支払うことなく、間貸人の世帯に取り込まれているような場合には、このことは一般にかなりの確実度をもっていえるであろう。もっとも、このような場合には、妻子の場合と同様に、民法第六一二条第二項にいわゆる「第三者」をして使用させたことにはならないとみることができるであろうが）という、ある程度まで正当な推定に、支えられているように思われる。また、基本賃貸借について地代家賃統制令がおこなわれているような場合には、下級裁判所が営利性の有無を重要視しようとすることも、その動機において首肯させるものをもっているようにも思われる（この点に関し、椿・民商法雑誌三四巻九九三―四頁を参照）。しかし、いずれにせよ、間貸人が間代をとり、場合によっては「権利金」のようなものをとっていても、そのことが直ちに間貸を「背信」行為たらしめることにはならないであろう。

（33）　かの昭和二八年九月二五日第二小法廷判決で扱われた事件（借地関係の事件）も同種のものであったようである。同判決における谷村裁判官の補足意見（民集九九〇―一頁）を参照。

四

さしあたり民法第六一二条に関する最高裁判所の判例について論じようとしたところは、以上に尽きる。

すでに述べたように、本節において扱った最高裁判所の判例は、明治二十九年法律第八十九号(民法)第六一二条を修正するために、定立さるべくして遂に——立法的解決をまちえないで——定立されるに至った一つの法命題であった。しかし、それは、あくまでも判例であるが故に、当然のことながら、同条第二項による賃貸借の「解除」の制限という当面の問題しか扱っておらず、まだ、解決さるべき解釈上の問題を残している。ここでそのことに目を転じてみよう。

民法第六一二条第二項による賃貸借の「解除」を許さない方法は、大きくわけて三つある。第一は、問題となる賃借人の行為を譲渡または転貸にあたらないとし、あるいは所与の事実関係において頭から賃貸人の承諾を不要とし、または賃貸人の承諾の擬制ないし黙示の承諾の認定をなすという方法である。第二が判例の方法で、つまり、問題となる賃借人の行為を「背信」行為にあたらないものと認める方法である。しかし、場合によっては、さらにもう一つの方法が可能である。すなわち、問題となる賃借人の行為を「背信」行為にあたるものと認めると同時に「解除」権の行使を「権利の濫用」であるとする方法がそれである。この第三の方法が可能な場合もありうることは、本節の分析から明らかであろう。そして問題は、第二または第三の方法がとられた場合に生ずる。まず、第二または第三の方法がとられたそれぞれの場合に、賃借権の譲受人または転借人の地位は保障されうるかどうか。これが、残されている重要な問題の一つである。しかし、これは、われわれの当面の問題（賃貸借の「解除」が当面の問題である）に対して直接の関係をもつものではないから、論及しないでおこう。[34] ここに、もう一つ重要な問題がある。それは、民法第六一二条第二項による「解除」が許されない場合でも「無断譲渡・転貸……は賃借人の賃貸人に対する債務不履行ではある」から「第五四一条の手続をふんで別の途からの解除権の成立は可能」[35] というべきかどうかという問題である（これはもっぱら、第二の方法がとられた場合に問題となる。第三の方法がとられた場合にはこの「解除」権の行使もまた結局「権利の濫用」となるから）。そして、この問題は、明らかに、本稿において論及されなければならない問題である。

もう一度この問題をより正確に記してみよう。——賃借人が無断譲渡・転貸をしたにもかかわらず「賃借人の右行為を賃貸人に対する背信行為と認めるに足りない特段の事情」があるために民法第六一二条第二項による「解除」が許されない（＝判例）場合でも「無断譲渡・転貸……は賃借人の賃貸人に対する債務不履行ではある」から「第五四一条の手続をふんで別の途からの解除権の成立は可能」である、というべきかどうか。

民法第六一二条第二項による賃貸借の「解除」の制限に関する判例はなぜ形成されなければならなかったのかということについての本節の分析の上に立って考えるならば、右の問題に対して否定の態度をとらなければならないことは、当然のように思われる。

しかし、右の問題は、これを、民法第五四一条は賃貸借の場合にも適用さるべきものであるのかどうかという一般的な問題の一環として眺めることができる。そこで本稿は、つぎに節を改めてこの問題を検討し、それをとおして右の問題に答えることにしよう。

ちなみに、次節でとりあげようとしている問題、つまり民法第五四一条は賃貸借の場合にも適用さるべきものであるかどうかという問題を扱うにあたっては、学説の変遷を跡づけ、問題の社会的背景の分析をとおして、それぞれの学説はどのように位置づけらるべきものであるかを示唆することが、特に重要であると考えられるので、そのための論述にかなりの紙数が費されることになるであろう。[36] このことをあらかじめおことわりしておく。

(34) この問題を一般に下級裁判所は肯定的に解してきたが(理由づけの例としては、東京地判・昭和三〇年六月一五日下裁民集一一四九頁のようなものや東京地判・昭和三一年三月二〇日下裁民集七一六頁のようなものがあげられるであろう)、このことは最判・昭和三六年四月二八日民集一二一四頁および最判・昭和三九年六月三〇日民集九九三頁によって確定的になったとみられる。

(35) 林良平・民商法雑誌三四巻〔一号、昭和三一年〕九三頁。

(36) 従来しばしば不当にも怠られてきたこのような作業は、法の解釈という実践行動ないし法解釈学そのものを分析の対象にすることの価値と必要とを認める立場からは、当然なすべき作業であると考えられる。

第三節　賃貸借と民法第五四一条

一

民法第五四一条は、賃貸借の場合にも適用さるべきものであるかどうか。

民法第五四一条は、「一切ノ契約ニ通スル総則ヲ掲ケ(37)」たはずの民法第三編（債権）第二章（契約）第一節（総則）の中の一条であるから、同条が賃貸借の場合にも適用さるべきは当然であるようにみえる。しかし、そうすると、わずか一回でも賃料の延滞があり、あるいはどんなに軽微でも何らかの義務違背がありさえすれば、賃貸人は同条によって解除の手続をとりうることになるが、これは、賃借人に対してあまりにも苛酷な結果をもたらすことにならないであろうか。

なるほど、実際の慣行に即していえば右のような場合に賃貸人が直ちにそのような手続をとることはほとんどないのだと人はいうかも知れない。しかし、それが事実であるとすれば、そこにまた問題がある。そのことは、賃借人の右のような行為はそれ自体としては賃貸借「解除」への賃貸人のザッハリッヒな要請を生ぜしめるものではないということを、示しているに相違ない。そうすると、まず、なされることとあるべき賃貸借の「解除」は――それがザッハリッヒに志向されたものであると否とを問わず——賃借人の右のような行為を口実とするものである（原因は他にある）ということになるであろう。そしてさらに、まだ近代化していない不動産の利用関係を残している国においては、賃貸人に与えられた右のような可能性は、たとえば容易に賃料を延滞せざるをえなくなる危険のある小作人や借家人の場合を考えてみれば明らかとなるように、地主や家主の「権力」の補強に奉仕するものとなりうるであろう。*

* たとえば農林省農務局『小作事情調査』（昭和十三年）が、「一般ニ小作契約ニハ『小作料納入期日ヲ怠リタル節ハ何時タリトモ土地ヲ引上ゲラルルモ異議ナキ』旨ノ約款アルモノ多キモ、実際ニ於テハ些少ノ滞納ヲ理由トシテ契約ヲ解除スルコトハ稀ニシテ滞納額ガ相当程度ニ至リタルトキ又ハ小作人ニ信義ニ反スル行為（その質が問題）アル場合ニ於テ初メテ解約ヲ為スヲ普通トス」と述べ、且つ、たとえば岩手県における「普通」の慣行として「地主小作人間ノ関係ハ従来通リ伝統的従属関係ニアリ地主ノ態度モ比較的寛大ニシテ小作人ノ怠惰ナル場合ヲ除キ解約スルコトナシ」といい、また静岡県につき「滞納ヲ理由ニ契約解除ヲ申渡シ土地引上ヲ為スガ如キハ其ノ小作人ノ平素ノ行動等ニ於テ地主ノ意ニ満タザル場合ニ多シ」といい、あるいはまた京都府につき「一ケ年分ノ小作料ヲ二年以上滞納セルトキ又ハ二ケ年分滞納ノトキ」に「解除」をするのが「普通」であるが「滞納ハ事情ニ依リテハ些少ノ滞納ニ依リ解約ヲ為シ又滞納数年ニ亘ルモ解約セザルコトアリ」といっているのは、はなはだ示唆的である。(38)

そこで、判例・学説をみることにしよう。

民法第六二〇条は、「賃貸借ヲ解除シタル場合ニ於テハ其解除ハ将来ニ向テノミ其効力ヲ生ス」と規定しているが、ここにいわゆる「解除」が告知（Kündigung）にほかならず、且つ告知と解除（Rücktritt）とが全く異るものであることは、古くから一般に認められてきたところである。しかし、民法第五四一条は賃貸借の場合に適用さるべきものであるかどうかという問題になると、判例は、これを肯定することをもって「当然」(39)のこととし、学説も一般にこれを肯定して（枚挙にいとまがない）、その理由をあげる場合には民法第六二〇条が広く「解除」の語を用いているということを指摘してきた。(40)

ところが、昭和九年以降、これに反対する説が現われはじめた。皮切りとなったのは、川島教授の説であった。(41)

川島教授の所説を引用しよう。

「〔賃貸借の如き〕継続的契約の債務不履行に付き果して一時的契約に於けると同様に解除の規定を適用し得べきか。独逸に於ては夙にこの問題が論ぜられ、説が分れてゐる。多数説は継続的契約にも解除(Rücktritt)に関する規定の適用あることを認める。然し継続的契約の特質に鑑み、更にその要件……及効果……につき争はれてゐる……。之れに対し少数説は、解除が本来遡及効を本質とし而して継続的契約の終止に遡及効を認むるは徒らに法律関係を錯雑ならしむるが故に解除を認むべからず、又ゲルマン法に於ては継続的契約には告知のみが認められたのであり現行民法に於ても告知のみを認むべしとし（但し未だ継続的給付が開始する以前に於ては遡及的解除も可能なりとされる）、特に法律又は契約により認めらるる告知権以外には、唯、全契約関係の存続を債権者に強ふることを不当ならしむる如き重大なる不履行（即ち継続的契約の基礎たる信頼関係の破壊）ありたる場合に限り、『重大理由に基く即時告知権』（fristlose Kündigung）を認むる規定（独民五四四条・五五三条・五五四条・六二六条・七七五条）の類推により即時告知権を認むべしとなす（故に、かくの如き事由もなく又法定又は約定の告知権も無きときは、単に本来の履行の請求及損害賠償の請求を為し得るに止まり、解除を為し得ないこととなる）……。

「私は告知説を正当とすべきではないかとの臆測を有するが、問題は債権法の根本問題であり、その詳論はこれを他日に譲るを適当としよう。然し、少くとも次に述ぶるが如き告知権を認むべきことは、我民法の解釈として之れを是認するに難くないであらう。即ち、継続的契約に関する民法六二八条・六六三条二項・六七八条二項等の趣旨を類推して一般的に『重大ナル理由』に基く即時告知権（fristlose Kündigung）を認むべく、而してその『重大ナル理由』とは、継続的契約に於て、全契約関係の存続を債権者に強要することを不相当ならしむる如き信頼関係の破壊あることを意味するものと解すべきである。従って催告を為すも履行を拒絶し或は不履行が頻繁に繰返さるる場合には原則として即時告知権を認むべしとする独逸判例の理論……も、我民法上右の『重大ナル理由』の内容として同一の結果を認めることを得るであらう（勿論債務不履行の性質・程度の如何に依っては催告を要せず又頻繁なることを要せずとなすべき場合もあり得るであらう）。(42)」

これに続いたのは、戒能教授のより断定的な所説である。すでに昭和十一年には、

「私は既に……川島助教授が詳論せられた様に、賃貸借の様な本質的に継続的な契約関係に対しては民法五四一条の適用はなく、組合・雇傭・委任等と同じく継続的契約関係そのものの理論の中に解除権の発生原因を求めて行くべきであると思ふ……。此意味に於て私は賃貸借の解除にも六二八条の準用あり、『已ムコトヲ得ザル事由』ある場合に限り解除を許すべきであり、而して賃借人の借賃支払義務の不履行は――目的物が土地又は家屋であれば――地上権永小作権に関する二六六条・二七六条との対照から云って、通常は二期分の怠納（右条文は『引続キ』怠納したるを要するが、賃貸借では此の要件は除いてよいであらう）により解除権を生ずるものと解する。(43)」

という戒能教授の所説が公けにされているが、昭和十四年になって、それはさらに詳細に説かれるに至った。

「……古い通説……は継続的契約関係の夫々の種類に応じて批判を加へ得る……。先づ最初に……組合契約の解散事由は、組合の団体性を維持するため、組合員の一員のみの債務不履行を以てしては、其の行為が民法第六八二条・第六八三条の要件に該当せざる限り、発生しないこと明であり、その意味で組合契約の解散には第五四一条の適用なしと云ふことが出来る（鳩山博士『日本債権法各論』七一六頁参照）。次に委任契約について考ふるに、委任に関する民法第六五一条による告知があったとしても、相手方の債務不履行に基く損害賠償義務が消滅する根拠はあり得ないから、委任及び之と同種類の契約たる寄託について、第五四一条による解除（告知）を認める必要は少しもないと云ふことが出来る。而して更に雇傭に関して論ずれば、……第六二七条・第六二八条の外、第五四一条を持ち出してくることは、却って第六二七条を少くとも被傭者のために強行規定であるとなし、雇主は二週間分の解雇手当を支払ふことなしに、通常被傭者を解雇し得ないと云ふ原則を破壊することになるのであると信じて居る。然らば最後に賃貸借及び使用貸借については如何であるか。初から解除権を留保して居る場合は別として、数ヶ月分の敷金を交付した上毎期の賃料を正確に支払って来て居た者が、或時期だけ極く僅な期間賃料を延滞したからと云って、直に契約を告知することや、又は其の辺の地価が高騰し、新賃借人を入れれば多額の権利金が取れるため、隙をうかがったやうにして告知することは、恐らく取引の通念に反するであらう。此意味に於て私は、賃貸借及び使用貸借についても、民法第五四一条の適用を排斥する趣旨に於て第六二八条の準用あり、両者の間に生ずべき差異は、何が同条に所謂『已ムコトヲ得ザル事由』であるかの判定にあるだけであると考へる……。換言すれば継続的契約関係の債務不履行に基く終了原因の準則は、民法第五四一条以下の規定にあるのでなく、告知そのものを妥当ならしめる所の要因は、却って契約を継続することが当事者にとって合理的に承服し得ないか否かにあるべきであって、斯る所から各個の契約に内在する相信関係の程度に応じ、『何時ニテモ』(民六五一条)告知し得たり、或は『已ムコトヲ得ザル事由』なきときは、(第六一七条・第六二七条等に現れた)一定の告知期間を定めてのみ、一方的意思表示により終了せしめたりするのが本則であると云はねばならぬ。此意味で私は所謂継続的契約関係の中、之を更に三種に細分し、組合型の団体的契約と、委任型の純粋に相信関係に基く契約と、雇傭・賃貸借型の物・賃料又は労働力の保全関係に基く契約との各々について、その解約原因を求めてゆくべきであり、第一のものに対しては民第六八二条・第六八三条が、第二のものに対しては第六五一条が、第三のものに対しては第六二七条（第六一七条）・第六二八条が其の原則であり、従って又之等を無理に統一し、第五四一条以下を持ち出すのは、本質的に不当であると信じて居るのである。(44)」

そうして、この昭和十四年には、それまで通説にしたがっていた学者の間から自説を改めるものも現われるに至った。末弘博士がそれである。すなわち、博士によって、川島＝戒能説は、「継続的契約関係については個々の債務不履行を原因として第五四一条等に依る解除を許すべきではなく、具体的関係をもっと全体的実質的に観察して最早これ以上契約関係の持続を強要するのは法律通念に照して不当なりと考へられる程度の事由が発生したならば、之を理由として契約関係の絶止を主張し得べきものとしやうとするのが此種の考方であって、継続的契約関係の本質を先入的偏見なしに考へて見ると何人も容易に之に賛同する糸口を見出し得るやうに思はれる」という言葉で支持され、ただ、使用貸借に関連してつぎのような見解がつけくわえられた。

「民法は使用貸借に関して『借主ハ契約又ハ其目的物ノ性質ニ因リテ定マリタル用方ニ従ヒ其物ノ使用及ビ収益ヲ為スコトヲ要ス』（五九四条一項）、『借主が前二項ノ規定ニ反スル使用又ハ収益ヲ為シタルトキハ貸主ハ契約ノ解除ヲ為スコトヲ得』（同条三項）なる規定を設けつゝ、此中第一項の規定のみを賃貸借に準用することゝしてゐるが（六一六条）、此区別立ては果して何を意味するのであらうか。従来の通説的の考方によれば、賃貸借に在っては賃借人に不当使用の行為あるも即時解除を許すことなく、第五四一条に依って一応其行為の停止を請求したるにも拘らず賃借人之に応ぜざる場合に初めて解除を許すの趣旨と解されてゐるのであるが、……新しい考方に従へば、こゝでも解約は第五四一条に依って為さるべきではなくして、賃借人の不当使用行為が当事者間の相信関係を害し賃貸人にこれ以上契約関係の継続を強要するのは無理であると思はれる程度に達した場合に初めて解約を許すものと解すべきであらう。即ち使用貸借は無償契約であって当事者相互間の相信的要素の契約上占める地位が比較的重いから、苟も不当使用あらば直に解除を許すに反し、賃貸借に於ては雇傭の場合と同様不当使用が第六二八条に所謂『已ムコトヲ得ザル事由』と見得べき程度に達した場合に初めて解約を許すの趣旨なりと私は考へたいのである。」(45)

ところで、昭和九年から同十四年にかけて漸次はっきりした形をとるに至ったこの新しい解釈、すなわち、川島＝戒能＝末弘説(かの三者が相互に補正しつつ民法第五四一条と賃貸借との関係についての一つの確乎たる解釈論を形づくっていると考えられるので以下こうよぶことにする)ともいうべきものの出現は、決して偶然のものではなかったといわれなければならないように思われる。従前のような解釈(判例・通説)は、あらためて強調するまでもなく、当時ますます大きな課題となりつつあった不動産の賃借人の地位の安定に対する保障という賃貸借法の中心的な課題にこたえることのできないものであった。かの川島＝戒能＝末弘説の形成は、このような事情の存在から切り離して眺めることのできないものなのである。

もちろん、賃借人の地位の安定に対する法的保障という課題は、一定の社会的条件のもとに立ち現われるに至った歴史的なものである。だから、民法第五四一条を賃貸借の場合にも適用さるべきものとなす解釈は、必ずしも当初から不都合なものだったわけではない。かつては、かの川島＝戒能＝末弘説の形成を導いたような条件は存在していなかった。かの川島＝戒能＝末弘説に発展してもよかったように思われるものは、すでに大正三年に発表された石坂博士の論稿[46]の中に、いわば萠芽の形でひそんでいたが、この萠芽がそのようなものとして育つための条件は、当時はまだ存在しなかったのである。民法第五四一条を賃貸借の場合にも適用さるべきものとなす解釈は、もう少しのちにかの賃貸借法の中心的な課題が大きく立ち現われるに至ってから、時代とともに不都合なものとなってゆき、その克服が年を追って重大な法的課題となって行ったのであった。

つぎに、その具体的な経過はどのようなものであったかをみることにしよう。

(37) 梅・註12所引書、三七七頁（傍点は広中）。

(38) 引用は同書一一四頁以下より（傍点は広中）。なお、冒頭に引用されたような約款の意義につき、川島武宜「封建的契約とその解体」思想三〇三号〔昭和二四年〕四四頁以下（→同『法社会学における法の存在構造』〔昭和二五年〕二一七頁以下）、参照。

(39) たとえば、大判・昭和二年四月一三日彙報三八巻（下）民五九八頁、大判・昭和八年一一月九日法学三巻四四四頁。

(40) たとえば、末弘・註10所引書、二三七―八頁、末川『契約総論』〔昭和七年〕二〇一頁。
(41) それ以前にも、石坂音四郎「解約申入ノ性質」京都法学会雑誌九巻〔大正三年〕一二二八頁以下・一五四七頁以下(→同『改纂民法研究』下巻〔大正九年〕六五〇頁以下)は反対説とみるべきもののようであったが、しかしそれは、明確なものではなかった。
(42) 川島・法学協会雑誌五二巻〔昭和九年〕一九五七―八頁(→『判例民事法』昭和七年度一一九事件評釈)。
(43) 戒能通孝・法学協会雑誌五四巻〔昭和一一年〕二〇二二頁(→『判例民事法』同年度四六事件評釈)。
(44) 戒能『借地借家法』〔新法学全集、昭和一四年〕九―一一頁(→同『債権各論』〔改訂、昭和二一年〕三三―五頁)。
(45) 末弘・法律時報一一巻〔昭和一四年〕八〇八頁(→同『民法雑記帳』〔昭和一五年〕一六六―七頁)。
(46) 註41参照。

二

まず、賃借人の地位の安定に対する保障という課題が現実化するに至った時期は、そもそもいつであったか。借地関係の領域では、日露戦争後の資本主義昂揚期が最初のそれであったが、不動産賃貸借の全領域で右の課題が現実化したのは、そのつぎの資本主義昂揚期である第一次世界大戦とそれに続く時代であった。

では、賃借人の地位の安定に対する法的保障という課題は、なぜ現実化したのであるか。

借地借家関係に関してはすでに前節で一般的にこの問題を論じておいたが、小作関係に関しては、前節では論及しないでおいた。そこで、以下、この問題を念頭におきながら、小作関係の領域で、民法第五四一条を賃貸借の場合にも適用さるべきものとなす解釈が時とともに不都合なものとなって行った経過をやや詳細に跡づけることから始めよう。

（一）　日本における小作関係が第一次世界大戦を契機として急速に質的変化をとげはじめたことは、周知のとおりである。「従前ニ於ケル地主小作人ノ関係ハ多クハ地方ノ慣習ニ従ヒテ平穏裡ニ推移シ概シテ温情的協調的精神ニ支配セラレ」、「略ホ主従ノ温情的関係ヲ保持シ来」ったのであるが[47]、この時期を境として、旧来の共同体関係の解体、小作関係の対抗関係——権利・義務のカテゴリーによって構成されるところの——への転化が、急速に進行しはじめ、小作争議の増加、小作組合の発展が、漸次もろもろの「社会問題」の重要な一環となって行った。大正六年に八五件だった小作争議は、七年には二五六件、八年には三二六件、九年には四〇八件と急増の一途をたどり、同年の恐慌をへて翌十年には一挙に一、六八〇件を数えるに至る勢いであったし、小作組合の発展ぶりは、大正九年に全国で二三〇を数えた永続的な組合のうち一五二が大正六年以後に設立されたもので大正十年以降に向かってさらに増加するきざしをみせていたという量的な点においてのみならず、「戦前（第一次大戦前）迄ハ……小作組合ヲ組織シテ地主ニ対抗スルカ如キハ極メテ一部ノ小作組合ニ止マルノ状態ニ在リタ」るに反して大正六年以後の小作組合においては「百五十二組合中……地主対抗ノ小作組合ハ……七十四組合に達スヘシ」とみられるに至ったという質的な点においても、当路者に対策の必要を痛感させるものとなりつつあったことが知られる。このような事態の発展に対処するための対策の一つとして、大正九年に、かの小作制度調査委員会が農商務省に設置されたのであった。(48)

この小作制度調査委員会の推進力であった特別委員会の活動は、非常に興味ぶかい経過をたどっている。しかし、ここでは詳細を略して、当面の問題に焦点をあわせながら概観すると、第三回特別委員会で「小作組合法制定の要否」が審議された際に委員会――そこでは地主勢力の比重が非常に大きかった――の意見が否定に傾いて、代わりに、地主・小作人の「協調」と「農事ノ改良発達」とを志向する小作法の制定こそ先に審議さるべきであるという意見が優勢となり、それをうけて第四回特別委員会（大正十年六月）に省側から、小作権の確立を基調とする「小作法案研究資料(49)」が幹事私案として提出され、審議されることになった。そして、その中に、「小作人カ引続キ支払ヲ為ササル小作料ノ額カ三年分ノ小作料額以上ニ達シタルトキ」および「小作人カ地主ノ制止ヲ肯セスシテ小作地ヲ著シク荒廃セシメタルトキ」に地主が小作権を消滅せしめうべきこと、「地主ハ本法ノ規定ニ依ルニ非サレハ小作権ヲ消滅セシムルコトヲ得」ざること、を定める規定の文案がおかれたのである。つまり、民法第五四一条と賃貸借との関係に関する判例・通説の不都合を立法手続によって克服しようとする試みが、ここに出現したわけであった。

右の部分をふくめて、幹事私案の全体に対する委員会の空気は、いうまでもなく、かなり冷たいものであったが、しかし、ともかく審議は一応すみ、大正十年九月に、二次の補正をへた幹事私案が各委員に配布された。そこでは、地主が小作権を消滅せしめうべき場合を列挙した規定、つまり第一一条第一項の各号は、つぎのようになっていた。

一　小作人カ引続キ三年間小作料ヲ滞納シ又ハ其ノ滞納額カ二年分ノ小作料額以上ニ達シタルトキ

二　小作人カ小作地ヲ著シク荒蕪セシメ其ノ小作地ニ永久ノ損害ヲ及ホスヘキ行為ヲ為シタルトキ

三　小作人カ其ノ小作地ヲ耕作又ハ牧畜以外ノ目的ニ継続使用シタルトキ

ところが、翌月二十一日の朝日新聞に幹事私案の内容が掲載されて公けとなったのをきっかけに「全国の地主並に之が代弁者たる貴衆両院議員等は農村研究其他の名義の下に密かに結束して此の法案に対抗する運動を起し……其の結果調査委員会に於ける小作法案の審議が突然著しく其の矛先を鈍らされ」ることになった。(50)大正十一年二月の第六回特別委員会では、小作法案の審議に入る前に有力な一委員から全体に対する「疑問」が出されている。上掲第一一条第一項については、「第一号ハ地主ニトッテハ迷惑千万ナ条項デアル……滞納期間三年トアルヲ二年ニ、滞納額ノ二年分トアルヲ一年分ニ短縮シ度イ」とか「新聞紙上ニ現レタ幹事案デ地主ガ最モ怖レテ居ルノハ第十一条第一項デアル」とかいうふうな意見が述べられた。

しかし、この第六回特別委員会において重要なことは、小作法案推進の線が後退して、代わりに小作調停法制定への動きが大きく現われてきたことである。すでにその第二日には、「小作法ハ地主小作手引位ナモノニシ度イ」という意見すら出ていたのであったが、最終日に司法省から人が来て、当時まもなく成立の運びにあった借地借家調停法案の説明をしてから、事態は急転することとなった。有力な委員から「先ヅ調停法ヲ作リ、ソレカラ小作法ヲ決メ而シテ後組合法ヲ決スルガ順序ダト思フ」という意見が出され、これに対して末弘博士（同日より特別委員であった）から「私モ左様ニスレバヨイト思フ」という発言があって、この第六回特別委員会は幕を閉じ、そのまま小作法案は見送られることになってしまったのである。

このようにして、かの判例・通説の不都合を立法手続によって克服しようとする試みは、ひとまず挫折することとなった。ところで、さきに掲げたような幹事私案第一一条第一項に対する反対意見は、どのような意味をもっていたのであろうか。ここで、小作料の滞納を理由とする小作地取上げが当時どの程度おこなわれていたかをみるに、大正元年の小作慣行調査はそれがなされる場合を「小作料ヲ悉皆滞納シ又ハ数年間未納ヲ続クルトキ」としており、また大正十年の小作慣行調査は「滞納ノ為メ契約ヲ解除セル事例ハ各府県共ニ稀ニ存シ（稀ニアリ一道三府三十三県、極稀ニアリ二県、単ニ慣行アルモノ二県）」ているにすぎなかった（香川県では全く例がなかった）としているのであって、[51] このことを考えあわせるならば、右のような意見は、地主が——現実にそうすることは稀であるにもかかわらず——事情次第で容易に小作地を取り上げうる可能性を確保しておいてこれを地主の「権力」（この語は、たとえば当時かの横井時敬博士によって何らの奇異感もなしに使われていた[52]）の補強に役立つ手段たらしめようとするものであったといわれなければならないであろう（なお、さきに一で引用しておいた農林省農務局『小作事情調査』の報告を参照）。一方でかの判例・通説の解釈が持続され、他方で小作法案が見送られることにより、地主はその「権力」の補強に役立つ有力な一手段を保持することとなったのである。もちろん、団体行動をもってする小作人側の闘争は——地主がこの手段を用いること自体を困難にして行ったばかりでなく——地主がこの手段を用いた場合にこれを争って訴訟上地主に苦渋をなめさせることを可能にしていたが、[53] しかし、これに対抗して「地主は先づ民法第五百四十一条に依って契約解除を為したる上、直に訴訟を提起すると共に、土地返還の仮処分を申請して、此の小作人の戦法に答へむとする」ようになって行った。[54]

その後かの判例・通説の不都合を克服しようとする試みとしてふたたび出現したのは、やはり立法手続によってこれをなそうとするものであった。昭和六年二月、第五九議会に提出された小作法案が、それである。その立案は、大正末以来増加の一途をたどってきた小作地取上げをめぐる争議が昭和四年・五年と急激に増加した(その件数(および全争議件数に対するその割合)は、大正十二年一四(一%)、十三年二五(二%)、十四年一七二(八%)、十五年三一六(一二%)、昭和二年四三二(二一%)、三年四六一(二五%)、四年七〇四(三九%)、五年一、〇〇二(四〇%))[55]ことによって強く促されるに至ったものであり、政府は、そのような状態を背景に、「農村生活ノ安定、農業ノ発達」を目的として、「同情アル地主ト、勤勉ナル小作人ノ双方ノ利害ヲ、出来ルダケ調和向上セシムルト云フ精神ヲ以テ編ンダ」[56](町田農相)この法案を、提出したのであった(委員会の審議では、本法によって小作争議は減るかどうかがしばしば論議の対象となっている)。この法案の運命は周知のところであろうから、詳述はひかえよう。要するに、この法案は、その立案の背景に照らして特に重要な意味をもっていたところの、かの判例・通説の不都合の是正を試みようとした規定――第一七条[57]――に対し、衆議院でこれを逆転させるような修正がなされたのち[58]、貴族院に送付されたが、そのまま審議未了となったのである。

かの川島＝戒能＝末弘説は、このような状態がそのままに放置されているところに形成されはじめたわけであるが、なおその後の推移をみておくことにしよう。

昭和五年に始まった農業恐慌の全過程を通じて、小作争議はその深刻さを加えつつ[59]増加してゆき、特に小作地取上げをめぐる争議は激増の一途をたどって（昭和五年一、〇〇二（件）、六年一、三〇七、七年一、五二〇、八年二、二七五、九年二、七〇四、十年三、〇三一、十一年三、六四四）「其解決ガ困難トナ」り「是ガ改善ヲ図……ルコトハ刻下ノ急務」(60)（山崎農相）と考えられるに至って、ここに、かの判例・通説の不都合を立法手続によって克服しようとする試みが三たび現われることになった。昭和十二年二月、第七〇議会に提出された農地法案の第一七条(61)が、それである。しかし、六年前の小作法案に比して「非常ニ退歩シテ居ル……〔小作法としては〕殆ド形ヲ成シテ居ラナイ……非常ニ逆転シタ案ダ」(62)（杉山元治郎議員）とすらいえたこの法案も、帝国農会などの要望(63)にそむいて、またしても審議未了となり、さらに翌年かの農地調整法案が第七三議会に提出されるのを待つことになった。＊＊

＊＊　農地法案以前からたびかさねて社会大衆党より提出されていた小作法案に論及することは、ページの都合上これをひかえておく。ただ、第七一議会で小作法案提出者の一人黒田寿男代議士が述べていたつぎのような言葉は、ここに引用しておく価値があるであろう。「……現在デハ例ヘバ、分量的ニ申シマシテモ、……小作料ノ……僅ナ滞納デモソレガ直グ小作契約解除ノ原因タルモノトセラレマシテ、土地引渡ノ請求ヲ以テ法律上小作人ガ脅威セラレルト云フ現実ノ状態ノ下ニアルノデアリマス、吾々ガ最モ痛感シマスノハ、小作調停調書ノ執行力アル正本ニ依リマシテ、小作料ヲ僅ニ滞ッタニ過ギナイ、又納入時期ニ付テ、極メテ短期間ノ遅延ガアッタニ過ギナイト云フヤウナ場合ニ、此小作料ノ不足額、或ハ遅延シタ時期ノ程度ニ比シマスト、財産的価値ニ於テ到底比較ニナラナイ程度ノ広イ面積ニ対スル小作権ガ、一瞬ニシ

テ土地取上ノ強制執行ヲ受ケ、ソレニ依ッテ、小作人ガ痛恨骨ニ徹スルヤウナ経験ヲ嘗メサセラレルコトヲ、私ハ幾多ノ争議ニ関係スル中、サウ云フ争議ニモ関係致シマシテ知悉シテ居リマス、ソレハ小作調停法ノ一面ガ持ッテ居リマス所ノ非常ニ苛烈ナル性質ヲ、玆ニ現ハシテ居ルノデアリマス、之ニ対シマシテ、吾々ハ絶対的ニ其不当ヲ主張シ、此ヤウナ僅カナ滞納ニ依リマシテ小作契約ガ解除サレ、土地引渡〔の請求ないし強制執行〕ヲ受ケルコトニ対シテハ、何等カノ対策ヲ講ジナケレバナラヌ、斯ウ云フヤウニ考ヘテ居ルノデアリマス、……」(64)。

農地調整法案が議会に提出されたのは昭和十三年の一月であった。年々増加の一途をたどってきた小作争議は、当局の説明によると「昭和十二年は支那事変の発生に鑑み応召農家の小作関係の安定並に一般の小作問題の対策に付政府並に地方庁に於て特に意を用ふる所ありたると、銃後農村民の自重等により、稍々減少するに至った」(65)とはいえ、なお六、一七〇件（前年は六、八〇四件）で、しかも、そのうち小作地取上げをめぐる争議は五八％と空前の最高率を示し、政府をして、「耕作者ノ地位ノ安定及農業生産力ノ推持増進ヲ図リ以テ農村ノ経済更生及農村平和ノ保持ヲ期スル為農地関係ノ調整ヲ為ス」（法案第一条）ことを目的とする法律の制定を「時局」下「一層ノ急務」(66)（有馬農相）と考えしめるに至ったのである。衆議院本会議における有馬農相の説明が示唆しているように、本法案の基礎には、「農地ハ……国家ノ存立発展ノ基本的条件タル人的資源及ビ食糧資源ノ源泉デア」るという理解と

「小作争議、殊ニ土地返還ニ関スル争議ガ著シク増加シテ、其解決ハ一層困難トナッ……タコトハ……邦家ノ為ニ洵ニ遺憾」であり「農地関係ノ調整、改善ヲ図ルコトハ、洵ニ緊要ト言ハネバナラヌ」という現状把握が存在しており、このような基礎の上に、「国全体トシテハ〔農業〕生産力ノ推持増進ヲ図ルコトガ必要デアル、ソレガ為ニハ其耕作ニ従事シテ居ル者ノ幸福ヲ増進スルコトデナケレバ、生産力ノ推持増進ハ出来ナイ」という論理に貫かれた本法案が生まれたのであって、(67) 小作権の確立ということは、ここに、戦争遂行という至上命令から流出するものとしての、戦争下における小作争議の回避および食糧生産の確保という目的の侍女たらしめられたのであるが、このようにして今やわずか二カ条となってしまったところの、(68) 小作権の確立に資するものとみられる規定のうちの一つ、第九条は、つぎのように書かれていた。

〔第一項〕　農地ノ賃貸人ハ賃借人ニ信義ニ反シタル行為ナキ限リ賃貸借ノ解約ヲ為シ又ハ更新ヲ拒ムコトヲ得ズ但シ土地使用ノ目的ノ変更又ハ賃貸人ノ自作ヲ相当トスル場合其ノ他正当ノ事由アル場合ハ此ノ限ニ在ラズ〔第二項以下、略〕

議会における論議の詳細をみることは、ここでは割愛しておこう。要するに、この法案は、若干の修正をうけた上で成立したのであった。そして、右の第九条も、第一項の本文を衆議院でつぎのように修正された上、ここに成文法規となったのである（但書は原案どおり）。

農地ノ賃貸人ハ賃借人ガ宥恕スベキ事情ナキニ拘ラズ小作料ヲ滞納スル等信義ニ反シタル行為ナキ限リ賃貸借ノ解約ヲ為シ又ハ更新ヲ拒ムコトヲ得ズ

ところで、これによってかの判例・通説の不都合が除去されたかどうかは、法文上、必ずしも明らかではなく、むしろ、右の規定は民法第五四一条による賃貸借の「解除」に制限を加えるものではないとした貴族院における当局側の言明がその後の解釈に影響を与え[69]、かくして、かの判例・通説の不都合を立法手続により小作関係に関するかぎりで克服しようとする試みは、なお、完成の域にまで達しないままに推移することになったのであった。

さて、以上ながながと述べてきたことは、要するに、賃借人の地位の安定に対する保障という課題の一環としての、民法第五四一条を賃貸借の場合にも適用さるべきものとなす解釈の不都合の克服という課題が、小作関係の領域で、どのようにして現実化し来り、且つ、どのような困難に逢着しなければならなかったか、ということであったといえる。その課題が現実化したのは、小作関係の権利義務関係への転化がきざしはじめ且つその基礎の上に「小作問題」の展開がみられはじめた大正中期であったが、その課題にこたえうるものとしてのかの川島＝戒能＝末弘説は、やっと昭和九年以降に、「少数説」として、形成されはじめたものであった。立法手続をとおしてこの課題にこたえようとする試みは、大正十年以来、くりかえし現われたけれども、それに対する地主勢力の抵抗は頑強をきわめた。

（二）　もはやページの余裕もないので詳述はこれをひかえるほかないが、事態は、借地関係および借家関係の領域でも同様であった。この領域で賃借人の地位の安定に対する保障という課題が大きく立ち現われて借地借家法の改正を促すに至った時期においてすら、かの判例・通説の不都合を立法手続によって克服することはなされなかった。昭和十六年一月に政府から提出された借地借家法改正法案につき、司法大臣は、まず貴族院において、この改正案はどこまでも債務不履行なき賃借人を保護しようとするものであることをくりかえし強調したばかりでなく、さらに、「借地人借家人ニ賃料延滞等ノ債務不履行ノアル場合ニ、民法上認メラレテ居ル地主家主ノ権利ハ、本改正案ニ依リ些モ制限ヲ受ケテ居ラヌノデアリマス、……賃料ノ不払アル場合現行法ニ於キマシテハ、地主家主ニ……契約ノ解除権ヲ与ヘテ居リマスコトハ御承知ノ通リデアリマス、……加之、右ノ如キ場合ハ本改正案ニ所謂正当ノ事由ニ該当スルコト勿論デアリマスカラ、地主家主ハ契約ノ更新ヲ拒絶スルコトモ、解約ノ申出ヲナスコトモ共ニ自由デゴザイマス」と言明し、衆議院でも同様の言明をなした。[70] 貴族院の委員会は、その速記録を読んだ某衆議院議員をして「是ハ法律案ノ委員会デハナイ、地主ト家主トガ集ッテ如何ニセバ地代賃料ヲ高率ニ取リ得ルカ、土地並ニ家屋ヲ如何ニスレバ自由ニ取上ゲ得ルカ、ノ研究会ノヤウナ感ヲ抱カシメタ」[71] と慨嘆させるほどのものであったから、かの判例・通説の不都合を立法手続によって克服するようなことがここで問題になりえなかったのは、むしろ当然であったといってよい。そして、衆議院の委員会では、ある弁護士出身議員が、「土地ハ明渡ヤ、家屋ノ明渡ハ問題デ何時モ問題トナリ、又不合理ダト考ヘル点」として、「敷金ハ賃料支払ノ担保ノ為ニ提供シテ居ル、賃料不支払ノ為ニ民法第五百四十一条ニ依ッテ、催告ニ依ッテ契約ガ解除サレル、サウ云ッタ場合、尚ホ敷金ガ相当額残ッテ居ルヤウナ場合デモ、五百四十一条ニ依ッテ解除サレテ明渡ヲシナケレバナラヌヤウナ立場ニ立ツ」ことになるという事情を述べていたけれども、(72) 議論は敷金の問題以上に発展しないまま終ったのであった。(72)

(47) 引用は農林省農務局『小作調停年報・第二次』(昭和二年) 一頁および同『本邦農業要覧』(大正一四年) 一七二頁より (傍点は広中)。

(48) 以上についても、また以下についても、詳しくは註6所引の拙稿を参照。

(49) その全文については、註6所引拙稿、法学二一巻三一二頁以下、参照。この「小作法案研究資料」(いわゆる「小作法幹事私案」) は、のちに述べるような経過をへて作成されたその第三次案が後述のように朝日新聞紙上で公けにされ、爾来これが諸種の資料に収録されるようになったのであるが、それのもとになった案文には一部に脱漏があり、これはそのままに伝えられてきた (第一次案と一緒に第三次案を収録した農林省農地部『小作立法資料 I』(農地改革執務参考四一号、昭和二四年) でも同様である)。上記拙稿では、第一次案・第二次案・第三次案を各条対照の形で収録し、右の部分をも示しておいた。

(50) 末弘・註6所引書、三一四頁。

(51) 以上につき、註6所引『小作慣行ニ関スル調査資料』四七頁、同『大正十年小作慣行調査』二三八頁、参照（傍点は広中）。

(52) 註6所引拙稿、法学二一巻二九八頁、参照。

(53) たとえば、小野武夫「耕地立入禁止問題」社会政策時報七一号〔大正一五年〕五頁、参照。

(54) 末弘・註6所引書、二四〇頁（このような申請は「屢々裁判所に依って許容せられ」たようである。しかし例外もあった。同二四一―二頁を参照）。なお、大正十三、四年以降、小作争議中に「地主側ヨリ耕地返還ヲ要求スルモノ」が現われはじめ、且つ年とともに急増の一途をたどった（後述）が、このような土地返還請求の理由としては小作料滞納が「其ノ主ナルモノ」であった（註47所引『小作調停年報・第二次』一一頁）。

(55) ここに記した数字については、註6所引拙稿、法学二一巻二七四頁の表を参照。昭和二年および同三年の数字として、農地改革記録委員会『農地改革顚末概要』〔昭和二六年〕五九頁が誤った数字を掲げて以来、諸種の書物が誤った数字を掲げている（たとえば、昭和三十二年中の出版物をみただけでも、農林大臣官房総務課『農林行政史』一巻四九七頁、井上晴丸『日本資本主義の発展と農業及び農政』二九九頁、小池基之『地主制の研究』一一七頁など）ことに注意。註6所引拙稿、法学二二巻三四二―三頁、参照。

(56) 以上の引用は、衆議院事務局『第五十九回帝国議会衆議院議事摘要』中巻一二七九頁、一二八九頁より。

(57) 「小作地ノ賃貸人ガ一年分ノ小作料ノ一年以上ノ滞納其ノ他之ニ準ズベキモノトシテ命令ノ定ムル滞納ヲ為シタル場合ニ於テ一月ヲ下ラザル期間ヲ定メテ支払ヲ為スベキ旨ヲ催告シ其ノ期間内ニ支払ナキトキハ賃貸人ハ賃貸借ヲ解除スルコトヲ得賃借人ガ信義ニ反シ賃貸人ヲ害スル目的ヲ以テ故意ニ小作料ヲ滞納シタル場合亦同ジ」。この規定案については、すでに政府の提案理由に対する質疑の際にも論議がなされている。一方では、「少クトモ農民組合ト云フモノガ其運動ヲ進メテ居ル所デハ、三年位ノ延滞ヲ普通ニシテ居ル所ガ沢山アルノデアリ……或ル意味ニ於テハ、是ハ農民組合運動ノ既得権デアル……既得権ト云フ……言葉ヲ此処デ使フノハ或ハ不適当カモ知レナイガ、兎モ角是ハ吾ゝノ農民組合ノ苦シイ運動ノ成果デアリ、其運動ノ賜モノデアル」とする立場からの批判(大山郁夫議員)がなされるかと思うと、他方では、これを「農村ノ実情ニ即サナイ……農村破壊ノ立法」とする攻撃(武田徳三郎議員)もなされるというふうであった(以上の引用は、註56所引書、一三二四頁、一三一三頁より)。

(58) 修正条文はつぎのとおりである。「小作地ノ賃借人ガ小作料ノ滞納ヲ為シタル場合ニ於テ二月ヲ下ラザル期間ヲ定メテ支払ヲ為スベキ旨ヲ催告シ其ノ期間内ニ支払ナキトキハ賃貸人ハ賃貸借ヲ解除スルコトヲ得」(この修正は農政団体聯合会や帝国農会の修正意見と同じ方向のものであった)。なお、もう一つの修正(第六条)は、実質的なものではなかった。

(59) たとえば、農業発達史調査会『日本農業発達史』八巻〔昭和三一年〕二八頁、参照。

(60) 以上の引用は、衆議院事務局『第七十回帝国議会衆議院議事摘要』中巻四六八頁より。

(61)「賃借人ガ小作料ノ支払ヲ為サザル場合ニ於テ賃貸人ガ二月ヲ下ラザル期間ヲ定メテ其ノ支払ヲ為スベキ旨ヲ催告シ其ノ期間内ニ支払ナキトキハ賃借人ニ宥恕スベキ事情ナキ限リ賃貸人ハ賃貸借ヲ解除スルコトヲ得」。——農地法案は衆議院を通過しないまま審議未了となったのであるが、右の条文には衆議院農地法案委員会で「二月」を「三月」に改め「宥恕スベキ事情ナキ限リ」の前に「特ニ」の語を挿入するという修正が加えられた。

(62) 第七〇回帝国議会衆議院農地法案委員会議録・昭和一二年三月一五日、七頁。なお、農地法案においては、「小作関係等ニ付キマシテハ飽マデ醇風美俗ヲ保持致シマシテ、法律ノ規定ニ依ッテ定メマスルコトハ、出来ルダケ之ヲ簡単ニスルコトガ適当デアル」(山崎農相)という考え方がとられていた(註60所引書、五三八頁)。

(63) これに関し、第七〇回帝国議会衆議院農地法案委員会議録・昭和一二年三月一二日、二六頁、二七頁(林平馬委員「……近来本法案ノ通過成立ノ運動ガボツ〳〵起ッテ居ルヤウデアリマス、……具体的ニ言フナラバ、地主方面ノ人々ノ熱心ナル通過ノ希望ヲ聴カセラレテ居リマス、又今日アタリハ帝国農会カラモ刷リ物ガ配付サレテ居リマス、……其結果ハ、アヽアレハ地主擁護ノ法律ダト云フコトノ裏書ヲサセルヤウナコトニナリハセヌカ……」。同「是ハ民間ノ普通ノ団体ナラバ、無論自由デスガ、直接国ガ監督シテ居ル所ノ帝国農会トカ、産業組合トカ云フヤウナ此特殊ナ団体ガ、政府ヲ支持スル運動ヲスルト云フコトハ、穏健デハアリマセヌ、……若シサウ云フ運動ヲシテモ差支ナイト云フコトニナルト、今度ハ反対ノ運動ヲ大ニ激化スルコトニナラウカト思ヒマス」)、同・昭和一二年三月一五日、一〇頁(杉山元治郎委員「……

本法案ハ自作農創設維持、是ガ大部分ヲ占メル、小作関係ノ調整ト云フコトガ多少載ッテ居リマスケレドモ、是ハホンノ附タリデ、便乗サセテ戴イタヤウナ形デ、帝国農会及ビ地主団体ガ本法案ヲ通過シテ呉レト熱心ニ要求シテ居ルヤウニ、一方小作団体ハ、反対運動ニ出テ参リマセヌケレドモ、声ヲ潜メテ居リマス点カラ見テモ、私ハドウモ地主中心案デアル、斯ウ云フヤウニ考ヘラレル……」)、参照。

(64) 引用は、第七一回帝国議会衆議院小作法案委員会議録・昭和一二年八月七日、一一—二頁より。つけくわえておくが、小作調停は、「一面」においてここにいわれているような機能をはたしえたと同時に、他面において、ある場合には「規範の形式と内容の両面にわたって民法的秩序を修正し、小作法なきもとでそれに代る役割をも果し」(渡辺〔ほか〕・註6所引書、四三七頁) えたものであった。このことの認識は重要である。

(65) 農林省農務局『小作争議・調停及地主小作人組合の概要』〔昭和一三年〕一頁。

(66) 引用は、衆議院事務局『第七十三回帝国議会衆議院議事摘要』中巻三六六頁より。なお、本文所引の法案第一条は、衆議院でつぎのような傍線部分を挿入され、さらに貴族院でつぎのような傍点部分を挿入されたのち、可決された。「本法ハ互譲相助ノ精神ニ則リ農地ノ所有者及耕作者ノ地位ノ安定及農業生産力ノ維持増進ヲ図リ以テ農村ノ経済更生及農村平和ノ保持ヲ期スル為農地関係ノ調整ヲ為スヲ以テ目的トス」。

(67) 以上の引用は、註66所引書、三六五—六頁、三九三頁より (傍点は広中)。

(68) 前年の農地法案とのこの点における差異を説明して、有馬農相は、「一片ノ法律ニ依ッテ何デモ権利義務ノコトヲ裁イテ行クト云フヨリハ、農村ト致シマシテハ実情ニ依ッテ、其土地々々等ニ依ッテ決メテ行クト云フコトノ方ガ、寧ロ農村ノ風ニ合フノデハナイカト私共ハ考ヘ」たと述べている（註66所引書、三七七頁）。もっとも、農地法案にあってさえ、註62所引のようにいわれていたのであるが。――なお、本文でいった「二カ条」とは、本文に述べる第九条および賃借小作権の対抗力に関する第八条である。

(69) たとえば帝国農会『農地調整法詳説』〔昭和一四年〕九一―二頁。このような解釈の当否につき、たとえば我妻栄・判例研究二巻七号〔昭和二六年〕二五頁、参照。

(70) 官報号外・第七六回帝国議会貴族院議事速記録、五八頁（昭和一六年二月一日附）、一二五頁（同月一五日附――本文に引用）、同・衆議院議事速記録、二一二頁（同月一九日附）、参照。

(71) 第七六回帝国議会衆議院借地法中改正法律案外一件委員会議録・昭和一六年二月二二日、八頁（菊地養之輔委員）。

(72) 引用は註71に同じ（傍点は広中）。以上の記述はあまりにも簡単であったが、なお註92末尾を参照。

三

賃貸借の場合に民法第五四一条の適用を認めることが現実に不都合なものとなってゆき、その不都合の克服が現実的な課題となって行った過程は、以上の記述によってほぼ明らかになったであろう。昭和四年には、比較的穏健な学者でさえ、「当今の民法に拠ると、少しでも債務不履行の事実があれば、債権者は容易に其契約を解除し得ることゝ為って居り、従って少しく小作料を滞納すれば、地主は直に小作契約を解除することの出来る規定であるが、実際に於て此規定を利用する者は稀有の冷酷なる悪地主」であるというに至っていた。(73) しかも、右の不都合を――小作関係に関するかぎりで――立法手続により克服しようという試みは、大正十年以来、地主勢力の抵抗によって難航を重ねていたのである。昭和九年にひかえめな形で出現したかの川島説は、まさにこのような時代を背景として瞬くまに有力な賛成者を見出し、ここに、川島＝戒能＝末弘説ともいうべきものが形成されるに至ったのであった。

以上のように考えてくると、かの川島＝戒能＝末弘説は、継続的契約と民法第五四一条との関係をどう解するかという一般的な問題から離れて考えてみても、人々から支持されるものとなってゆくべき必然性をになっていたものであることがわかるであろう。その後、論理的にはともに可能と考えられるかの二つの解釈(74)のうち、新しい解釈つまり川島＝戒能＝末弘説を支持する学者が徐々にふえてきて、このような解釈の方がむしろ有力になりつつあるのも、(75)偶然ではないのである。これに対して存在する反対説も、今や、重点からいえば、その実際の適用によって何ら不都合が生じないであろうかという危惧に立脚するものとなりつつある、といってよい。

本稿は、いうまでもなく川島＝戒能＝末弘説を支持するものであり、ただ、これをより明確な理論にまで仕上げることを試みる余地が残っていると考えるものであるにすぎない。そこで、以下、このことを試みるために、これまで本稿が「川島＝戒能＝末弘説」とよんできたものはどのような解釈であるのかを整理しながら、これと平行して、今日これに対して存在する反対説を検討してゆくことにより、新しい解釈の骨子を示すと同時に、実際の適用の上で重要な意義をもつそこでの中心的な問題について論ずることにしよう（なお最後に、この問題に関連を有する最高裁判所の判例にも論及しておく）。

（一）　新しい解釈の出発点は、賃貸借の場合に民法第五四一条を適用することの否認である。このことは、川島＝戒能＝末弘説に明らかなとおり、継続的契約に民法第五四一条の適用を認めないことの一環であり、ここではその詳論をひかえる。

この解釈とはちがった立場から、すなわち賃貸借の場合にも民法第五四一条の適用があることを認めた上で、判例および（従前の）通説の不都合を克服しようとした解釈論も、なかったわけではない。たとえば、つぎのようなものがそれである。「本条（＝民法第五四一条）は借地関係・借家関係・小作関係のような不動産の賃借人が特別の保護をうけている場合にも適用があるものであろうか。換言すればこれらの関係において賃借人が賃料を支払わない場合に、賃貸人は本条によって支払を催告した上で賃貸借契約そのものを解除することができるであろうか。理論上これを否定すべき理由は存しない。しかし、このような継続的な債権関係について、本条を形式的に適用し、ことにその対価が金銭の支払であることを理由として、金銭債務に関する第四一九条の特則を無条件に適用しては、これらの関係を保護しようとする立法の趣旨が破れるおそれがある。かような場合にはその関係を継続できないと解せられる程度の履行遅滞を要件とし、軽微な賃料の滞納を理由に解除を認めるべきではない。小作関係においては、小作人が『宥恕スヘキ事情ナキニ拘ラス』小作料を滞納した場合にはじめて解除権が生ずるものとし（農地調整法九条一項）、……その解除権の行使については市町村農地委員会の承認を受けなければならないものとされる（同上三項）。この趣旨は他の借地関係および借家関係にも推及せらるべきであろう」[76]。しかし、まず後段についていえば、昭和二十一年に（法律第四二号——第二次農地改革）かの不都合を立法手続によって克服しようという試みがそこに完全な結実をみるに至ったところの農地調整法第九条が、昭和二十七年に農地法第二〇条に取って代わられた[77]のちは、その基礎が若干ぐらついてきたといわれなければならなくなっている。[78]そして、その前段について考えてみても、「借地関係・借家関係・小作関係のような不動産の賃借人が特別の保護をうけている場合」に民法第五四一条を「形式的に適用し……ては、これらの関係を保護しようとする立法の趣旨が破れるおそれがある」というような考慮だけでは、思うに、「その関係を継続できないと解せられる程度の履行遅滞を要」するという解釈をひきだす根拠としては薄弱であって、このことは、この解釈に一半の責任を負われたと考えられる我妻教授によって、その後この解釈が必ずしも明確には推持されていない――むしろ川島説が「理論として至当な見解と思う」とされている(79)――ことによっても示されているように思われる(80)。

(二)　賃貸借の場合に民法第五四一条を適用することを否認する立場からいっても、民法典の賃貸借の節に規定されている「解除」だけで足りると考えるわけではない。そこで、つぎの問題は、民法典の賃貸借の節に規定されている以外で許容さるべき「解除」の準則は何であるかという問題である。

この点に関しては、川島＝戒能＝末弘説を一つの統一的なものとして再構成することがまず必要であると思われるのであるが、それはつぎのようになさるべきであると考えられる。すなわち、民法典の賃貸借の節に規定されている以外で賃貸借の「解除」が許されるのは、「全契約関係の存続を債権者に強ふることを不当ならしむる如き重大なる不履行」すなわち当該「継続的契約の基礎たる信頼関係の破壊」があった場合(川島)、別言すれば、当該「契約を継続することが当事者にとって合理的に承服し得ない」ものとなった場合(戒能)あるいは「最早これ以上契約関係の持続を強要するのは法律通念に照して不当なりと考へられる程度の事由が発生した」場合(末弘)に限らるべきであり、もし民法典の規定の中にその準則を求めるならば、賃貸借契約に内在する「相信関係の程度」に鑑み、雇傭に関する民法第六二八条を準用して「已ムコトヲ得サル事由」のある場合に限りその「解除」を許すべきことになる(戒能＝末弘)、――というのが川島＝戒能＝末弘説であると考えらるべきである。上記のようなものとしての川島＝戒能＝末弘説の核心がその前段にあることは、いうまでもあるまい。すなわち、簡単にいえば、民法典の賃貸借の節に規定されている以外でも賃貸借の「解除」が許さるべき場合はあるが、それは、契約関係の存続を当事者に強いることが不当とみられるような事由すなわち賃貸借契約の基礎たる「信頼関係」の破壊があった場合に限られる、というのが新しい解釈なのである。

(三) ところで、この解釈によって許さるべき賃貸借の「解除」が即時告知であるということは、しばしば、この解釈に対する反対論の根拠とされているように思われる。たとえば、この解釈を「理論として至当な見解」としながら同時に「解釈論としては、判例を支持すべきものと思う」と述べて「即時告知しか認めないとすると、賃料不払をどう取り扱うか標準が不明になる」と附言したり、(81) あるいは、「賃貸借にあっては、委任などに比して、信頼関係の質や量が相対的に異ることとさらに、特定物の占有を委ね、これを返還せしめるという、物的な要素があることからも、委任や雇傭における即時解約(民法六五一条・六二八条)を類推することは不当である」としたりするのが、(82) その例としてあげられよう。

しかし、このような反対論を検討するにあたっては、それに先立って、まず即時告知の意味を明確にしておく方が、適当かも知れない。反対者が即時告知の意味を誤解している場合もあるからである。

即時告知というのは、告知期間を保たないでなされるところの告知であって、告知により即時に契約関係終了の効力を生ずるところのものである。即時告知（fristlose Kündigung〔猶予期間のない告知〕）に対するものは、告知期間を保ってなされる告知（befristete od. fristgebundene Kündigung〔猶予期間附の告知〕）であって、日本の民法でいえば第六一七条・第六一八条・第六二一条に規定されている解約申入がこれにあたる。(83) 告知をなしうるための前提として、債務者に対し相当の期間を定めて履行を促すべきこと――および債務者がその期間を徒過したこと――を要求するかどうかは、即時告知であるかどうかを区別する標識とはならない。そして、契約関係の存続を当事者に強いることが不当とみられるような事由すなわち当事者間の「信頼関係」の破壊があった場合に許さるべき賃貸借の「解除」を即時告知とすることは、ちょっと考えてみれば直ちに明らかなことなのであるが、いわば、当然の理由をもっているのである。なぜなら、当事者間の「信頼関係」の破壊があった場合に賃貸借の「解除」を許すのは、契約関係の存続を当事者に強いることが客観的にみてもはや不当であると認められるに至ったからにほかならないのであり、この場合に「解除」の意思表示ののちたとえば「土地ニ付テハ一年」（民法第六一七条）の期間が経過しなければ賃貸借が終了しないということにすると、「信頼関係」を破壊した者に不当な利益を与えることとなるであろうからである。

　このように考えてくると、即時告知を許すという点に反対論者が非難を向けるのは、そこで即時告知の意味が正確に理解されているかぎり、即時告知が許されるのは具体的にはどのような場合なのであるかについて反対者をも納得させるに足る説明がこれまでなされていなかったというところに原因があるのかも知れない、ということが明らかになる。そこで、つぎに、かの即時告知はどのような場合に許さるべきであるのか、換言すれば、どのような場合に（かの即時告知を許す前提としての）「信頼関係」の破壊があったと認めらるべきであるのか、という点についての類型的標識となるべきものを、指摘することにしよう。それは、当然、既掲のような反対論に答えることにもなるわけであるが、単にそのような意義のみを有するにとどまらず、新しい解釈における中心的な問題を論じてこれに一そう強固な基礎を与えることにもなるのである。

　（四）　どのような場合に（かの即時告知を許す前提としての）「信頼関係」の破壊があったと認めらるべきであるのか、ということを考える上で最初に問題となるのは、ここにいう「信頼関係」とはどのようなものであるのか、ということであろうが、これが何よりもまずザッハリッヒなものとして把握さるべきであることは前節の論述によって明らかであると思われるので、ここでは深く立ち入らないことにしよう。

では、そのようなものとしての「信頼関係」の破壊は、どのような場合に生じうるというべきなのであろうか。賃貸借の「解除」のうち、実際問題として重要なのは、いうまでもなく賃貸人がこれをなす場合であり、ここでも、その場合について考えることにすると、場合はこれを二つに分けて考えることができる。第一は、契約関係そのものへの賃貸人の関心にかかわる場合、第二は、賃貸人の、その所有物（通常の場合）に対する関心にかかわる場合である。第一の場合は、賃借人の賃料支払義務の不履行が問題となる場合であって、さきに掲げた二つの反対論のうちの第一のものはこれに関しており、第二の場合は、賃借物を返還するまで「善良ナル管理者ノ注意ヲ以テ其物ヲ保存」し（民法第四〇〇条）且つ「契約又ハ其目的物ノ性質ニ因リテ定マリタル用方ニ従ヒ其物ノ使用及ヒ収益ヲ為ス」（同第六一六条、第五九四条第一項）べき賃借人の義務に対する違反が問題となる場合であって、既掲反対論のうちの第二のものはこれに関している。

（1）　まず第一の場合から考えよう。

反対論者は、「……賃料不払をどう取り扱うか標準が不明になる」といっている。なるほど、たとえばドイツ民法の場合においては、川島教授のいわゆる「告知説」の先達ともいうべきかのギールケは、「……一般的にいえば、継続的債権関係にあっては……法定解除権（第三二六条および第三二五条〔日本民法第五四一条・第五四三条に相当する〕）を容れるべき何らの余地もない」としたあとで「賃貸人〔Vermieter oder

Verpächter〕は、賃料支払の遅滞によって、民法第五五四条〔賃借人が二期ひきつづいて賃料の全部または一部の支払を怠ったときには即時告知をなしうると定める〕による告知権のほかに、第三二六条〔日本民法第五四一条に相当する〕による解除権をも有するわけではない[84]」と述べることができたのであるから、日本の場合におけるよりは自説を貫く上に有利であった。しかし、ドイツ民法第五五四条が「二期ひきつづいて……」と定めたのは、実はこれによって、賃貸借の即時告知を認むべき場合――われわれの当面の問題に即していえば「信頼関係」の破壊があったと認むべき場合――の類型的把握を試みたにほかならないのであり、しかも、このようなことを試みるにあたっては、スイス債務法（第二六五条・第二九三条）が示唆しているように、かなり長い期間を定めてなす催告に賃借人が従うかどうかを標識となすことも可能なのである。ひるがえって日本の場合を考えてみるに、新しい解釈は、その出発点において賃貸借の場合に民法第五四一条を適用することを否認するとともに、契約関係の存続を当事者に強いることが不当とみられるような事由があった場合に、民法典には明文の規定が存しないにもかかわらず、一つの現状変更の主張である目的物返還請求の前提としての賃貸借の「解除」を認めようとするものなのであり、それを認めるための要件は当然これを厳格なものにしなければならないであろう。[85] かくして、結論的にいえば、（イ）戒能説に示唆されたように、土地の賃貸借の場合のみならず家屋の賃貸借の場合にも、民法「二六六条・二七六条との対照から云って」二期分以上の怠納があった場合に、（ロ）その場合にもなお賃貸人は第一次的には延滞賃料の収取につき利益を有するものとして扱われなければならないという理由に基き、且つ、契約関係を消滅させるに先立ち賃借人に最後の考慮の機会を与える意味において、賃貸人が相当の期間を定めてその支払を催告したにもかかわらず賃借人が期間内に支払をしなかったときにはじめて賃貸人は賃貸借の「解除」をなしうるのを原則とする[86]のが、至当であると考えられる。このようにして、「理論として至当な」新しい解釈は、実際的にも「賃料不払をどう取り扱うか標準が不明になる」という難点をもたないことになるわけである。

(2)　つぎに、上記第二の場合、すなわち、賃借物を返還するまで「善良ナル管理者ノ注意ヲ以テ其物ヲ保存」し且つ「契約又ハ其目的物ノ性質ニ因リテ定マリタル用方ニ従ヒ其物ノ使用及ヒ収益ヲ為ス」べき賃借人の義務につき何らかの違背があった場合、について考えよう。

このような義務違背の場合にも、賃貸借の「解除」を認めるための要件は、賃料不払の場合と同様に、これを厳格にしなければならない。まず、軽微な義務違背の場合には、賃貸人の停止請求権が認められるだけで充分であるとすべきであろう。いいかえれば、(イ)ある義務違背が軽微とは認められないものである場合、すなわち、当該違背行為がもし停止されなければ契約関係の存続を賃貸人に期待しえなくなると認められる場合に、はじめて賃貸借の「解除」が問題となる。しかし、さらに、(ロ)この場合にも、賃貸人はなお第一次的には当該違背行為を停止させることにつき利益を有するものとして扱われなければならないという理由に基き、且つ、契約関係を消滅させるに先立ち賃借人に最後の考慮の機会を与える意味において、まず賃貸人が相当の期間を定めて当該違背行為の停止を促すことを要求すべく、賃借人がこれに従わなかった場合にはじめて、賃貸人は、契約関係の存続を強いられることが不当であるような「信頼関係」の破壊があったものとして賃貸借の「解除」をなしうる、となすべきである。これは、賃貸人の権利をいちじるしく害する契約違反の行為があった場合に告知の前提として制止（Abmahnung）を要求するドイツ民法第五五三条の取扱に近いと思われるが、もちろん右は原則であって、例外的に、義務違背の「性質・程度の如何に依っては催告〔当該違背行為の停止を促すこと〕を要せず……となすべき場合もあり得るであろう」[87]。

（五） 以上で、新しい解釈の骨子を示し、且つ、そこでの中心的な問題についても論じたわけであるが、最後に、この問題に関連を有する最高裁判所の判例にふれておこう。

すでに第一節の二で紹介しておいたように、最高裁判所は、「賃貸借の継続中に当事者の一方にその義務に違反し信頼関係を裏切って賃貸借関係の継続を著しく困難ならしめるような不信行為のあった場合には、相手方は民法五四一条所定の催告を要せず賃貸借を将来に向って解除することができる」という判例を打ち出している（昭和二七年四月二五日第二小法廷・同三一年六月二六日第三小法廷の各判決）。この判例に対しては、「告知には第五四一条の適用は全然ない」「という……説まで躍進したものとみるべきでない」という見解と、[88]

「最高裁の真意は恐らくかゝるところにあったのではないかと考えられる」という見解[89]とがあるようであるが、いずれにせよ、今日ますます有力となりつつあるところの「賃貸借の場合に第五四一条の適用はない」とする学説に従うことを判例が今後はっきりさせるべきであることは、いうまでもないであろう。

ところで、右の判例に「賃貸借の場合に第五四一条の適用はない」ということが附加されさえすれば、それでこれが間然するところのないものになるわけでは決してない。なぜなら、この判例は、単純に「催告不要」の理論を打ち出しているのだからである。この判例が「催告不要」の理論を打ち出している点に対しては、少からぬ学者の批判があるけれども[90]、その点に関するかぎり、これらの学者の批判は正当なものであるといわなければならないであろう。判例で扱われているように賃借人に義務違背があってそのまま推移すれば契約関係の存続を賃貸人に期待しえなくなるであろうと認められる場合においても[91]、まず賃貸人が契約関係の継続を可能ならしめるために賃借人に対してその義務の履行を催告し、これによって賃借人に最後の考慮を促したにもかかわらず、賃借人がこれに従わなかった、というときにはじめて「信頼関係を裏切って賃貸借関係の継続を著しく困難ならしめるような不信行為」があったとするのを原則とすべきものなのであって[92]、このような類型的標識によることにしてはじめて、個々の裁判官としても具体的な場合に安んじて「不信」行為なるものの存否を決しうることになるばかりでなく、そこに、より明確な客観的な標準による、行為のザッハリッヒな評価、が担保されることになるのである。

(73) 気賀勘重『小作問題』〔昭和四年〕二三六頁（傍点は広中）。

(74) こういったこと（「法の解釈」の問題）に関し、拙著『法と裁判』〔昭和三六年〕三九頁以下、参照。

(75) たとえば、来栖三郎『債権各論』〔昭和二八年〕七七頁、一九四頁、田中実「いわゆる継続的債権（契約）関係の一考察」法学研究二六巻〔昭和二八年〕八九六頁、八九七頁。戒能『岩波小辞典・法律』〔昭和三〇年〕はいう。「告知権が、契約の継続中に起りうる軽微な債務不履行を理由に、民法五四一条によって発生するか否かは問題だが、これを否定する見解の方が現在では有力になっている」（二一一頁）。最近では、鈴木禄弥『居住権論』〔昭和三四年〕一〇五頁など（例示、註93所引拙著二五頁註一）。

(76) 我妻栄・有泉亨『債権法』〔法律学体系・コンメンタール篇、昭和二六年〕二八二頁（傍点は広中）。なお、有泉・法曹時報四巻二号〔昭和二七年〕二六頁、参照。

(77) 農地調整法第九条はつぎのように規定していた（傍線部分が昭和二一年法律第四二号による追加）。第一項「農地ノ賃貸人ハ賃借人ガ宥恕スベキ事情ナキニ拘ラズ小作料ヲ滞納スル等信義ニ反シタル行為ナキ限リ賃貸借ノ解除若ハ解約ヲ為シ又ハ更新ヲ拒ムコトヲ得ズ但シ土地使用ノ目的ノ変更又ハ賃貸人ノ自作ヲ相当トスル場合其ノ他正当ノ事由アル場合ハ此ノ限ニ在ラズ」。第三項「農地ノ賃貸借ノ当事者賃貸借ノ解除若ハ解約（合意解約ヲ含ム以下同ジ）ヲ為シ又ハ更新ヲ拒マントスルトキハ命令ノ定ムル所ニヨリ市町村農地委員会ノ承認ヲ受クベシ」（括弧内は昭和二二年法律第二四〇号による追加。「……農地委員会」は昭和二六年法律第八九号により「……農業委員会」と改められた。なお本項には、昭和二四年法律第二一五号による改正以後、但書がある）。第五項（昭和二二年法律第二四〇号による改正までは第四項）「第三項ノ承認ヲ受ケズシテ為シタル行為ハ其ノ効力ヲ生ゼズ」。これに対して、農地法第二〇条はつぎのように規定している。第一項「農地又は採草放牧地の賃貸借の当事者は、省令で定めるところにより都道府県知事の許可を受けなければ、賃貸借の解除をし、解約の申入をし、合意による解約をし、又は賃貸借の更新をしない旨の通知をしてはならない。」（但書、略）。第二項「前項の許可は、左に掲げる場合でなければしてはならない。一　賃借人が信義に反した行為をした場合　二　その農地又は採草放牧地を農地又は採草放牧地以外のものにすることを相当とする場合　三　賃借人の生計、賃貸人の経営能力等を考慮し、賃貸人がその農地又は採草放牧地を耕作又は養畜の事業に供することを相当とする場合　四　その他正当の事由がある場合」（昭和三七年法律第一二六号により、第三号に字句が加えられ、第四号が第五号となり、新第四号が挿入された）。第五項「第一項の許可を受けないでした行為は、その効力を生じない。」

(78)　吾妻光俊『債権法』〔昭和二九年〕一三六頁は農地法第二〇条の不正確な理解に立脚しており、そこに述べられた解釈論は、批判に耐えうるものではないように思われる。

(79)　我妻『債権各論』〔中巻一、昭和三二年〕四五一頁。もっとも、ここにいわれている「理論」の意味は明瞭でない。そこでは、川島説が「理論として」至当とされ、ドイツ民法の立場が「立法論として」すぐれているとされ、日本の判例が「解釈論として」支持すべきものとされているのである。

(80) ちなみに、本文に引用した我妻=有泉説(註76参照)のような解釈は最高裁判所でも否定された。すなわち、昭和三三年一月一四日第三小法廷判決(昭和三〇年(オ)第七〇六号)は、借家人側から上告理由の一つとして「原判決理由の要旨は、本件訴状の記載は履行の催告を直接の目的としたものではないけれども、これを以て履行の催告ありたるものとしてその送達後相当期間経過するも賃料の支払なきときは、債権者たる被上告人は民法第五四一条により本件賃貸借契約を解除し得るものと解釈するを相当とするというに在る。民法第五四一条によれば、当事者の一方が其債務を履行せざるときは相手方は相当の期間を定めて其履行を催告し、若し其期間内に履行なきときは契約の解除をなすことを得ることになっており、履行遅滞の要件としては責に帰すべき事由で足りると解されている。この点借家法には明文なき故、家屋の賃貸借についても形式的には民法の原則どおり適用あるものと考えられそうである。然し借家法は民法の規定に対し種々の特則を設けており、これは借家関係の如き経済的な債権関係につき建物利用という社会経済上の法律干係を合理的に解決せんが為めである。従って、借家法に明文の規定がなくても、かゝる公共の福祉、信義則により民法の一般の場合の責に帰すべき事由よりも重い要件が要求されているものと解釈するのが相当である。然るに、原判決は民法第五四一条を誤解してそのまゝ適用しており理由不備の違法がある」という——我妻=有泉説と同趣旨の——理由が述べられたのに対し、「論旨は、借家法の適用がある建物の賃貸借につき、民法五四一条をそのまま適用することは違法であると主張する。しかし、賃貸借の如き継続的契約関係においても、一方の当事者に債務不履行があるときは、法律に別段の定めのある場合を除き、民法五四一条により契約を解除しうるものと解するのが相当である。そして、債務者が遅滞に陥ったときは、債権者は、期間を定めずに催告した場合でも、催告の時から相当の期間を経過すれば、契約を解除できるものと解すべきであるから（昭和……二九年一二月二一日第三小法廷判決〔民集二二一一頁以下〕参照）、原判決には所論の違法なく、論旨は理由がない。」（傍点は広中）として、これを却けている。

(81) 我妻『債権各論』四五一頁（傍点は広中）。なお、同・法学協会雑誌七二巻〔六号、昭和三〇年〕六九三頁を参照。

(82) 幾代通・民商法雑誌二八巻〔六号、昭和二九年〕四〇〇頁（傍点は広中）。もっとも、論者自身の見解は必ずしも明瞭でない。同「敷金」〔総合判例研究叢書・民法1、昭和三一年〕一六三頁、参照。

(83) 第六一七条所定の解約申入に相当するものをドイツの学者は単に ordentliche Kündigung といい、これに対して第六二一条所定の解約申入に相当するもの（§ 19 KO; ferner § 549 I 2 BGB, etc.）を ausserordentliche befristete Kündigung ということもあるが、後者のようなものをよぶには、単に vorzeitige Kündigung という言葉を用いる方が一般的のようである。

(84) Otto von Gierke, Dauernde Schuldverhältnisse, Jherings Jahrbücher für die Dogmatik des bürgerlichen Rechts, Bd. 28, 1914, S. 390, Anm. 60.

(85) 明文の規定が存しないにもかかわらず認めらるべき fristlose Kündigung wegen eines wichtigen Grundes をもって、Karl Larenz, Lehrbuch des Schuldrechts, II, 2. Aufl., 1957, S. 131 が、「他の救済手段（たとえば、正規の告知、制止〔Abmahnung〕、不作為の訴）が存しないか、または充分でない――これ以上耐えることのできない状態を救済するために――場合にはじめて問題となる」ものであるとしていることは、注意されてよい。

(86) 例外的に「債務不履行の性質・程度の如何に依っては催告を要せず……となすべき場合もあり得るであらう」ことは、川島説に示唆されているとおりであるが、原則としては催告を要求するのが妥当である。「催告不要」を「即時告知」の標識と思い込んで川島説ないし新しい解釈は必然的に「催告不要」の理論であるとでも考えたのではないかと疑われる議論がある（たとえば野田寛・民商法雑誌三五巻〔昭和三二年〕九三頁以下）けれども、そのような議論が全くの誤解に基くものであることについては、すでに述べた。――そもそも民法第五四一条において催告が要求されているのは何故であるかということを、この際われわれはもう一度ふりかえってみる必要があるように思われる。民法典は、「契約総則」中の解除の款において、債務不履行を理由とする解除のうち、通常の履行遅滞の場合に催告を要するものとしながら（第五四一条）、定期行為について履行遅滞があった場合および履行不能の場合には催告を要しないものとしている（第五四二条・第五四三条）が、この区別は一体どのような見地に立脚したものなのであろうか。いまさら問われるまでもないことだと人はいうに相違ない。たしかにそうである。そして、同じような見地がいわゆる不完全履行の場合にも適用されて、たとえば、「履行された不完全な給付が追完を許す場合と、追完を許さない場合とに分け、前者は、履行遅滞に準じて催告をなすことを要し、後者は、履行不能に準じて催告をなすことを要しないとする」（我妻『債権各論』〔上巻、昭和二九年〕一七四頁）解釈がなされていることも、おそらく、ここに喋々するまでもないところであろう。しかし、そうだとすれば、民法第五四一条以下の規定は賃貸借の場合に適用さるべきでないとしつつ「信頼関係」の破壊があった場合における賃貸借の「解除」の要件を解釈によって構成しようとする際に、同じような見地を適用することも、きわめて正当な態度だといわれなければならないはずなのである。

(87)　註86参照。この点においては、違背行為の停止を促す手続を原則的に要求しながら同時にその例外をも規定したスイス債務法の立場（第二六一条第二項・第二九四条、参照）が、ある程度まで参考になるであろう。

(88)　我妻・法学協会雑誌七二巻六九二頁。この見解があたっていたことは、たとえば註80所引の昭和三三年一月一四日第三小法廷判決や註92所引の昭和三五年六月二八日第三小法廷判決によって裏書きされた。

(89)　野田・民商法雑誌三五巻九四頁。

(90)　たとえば、金山正信・同志社法学一七号〔昭和二八年〕一四三頁、幾代・民商法雑誌二八巻三九七頁、野田・民商法雑誌三五巻九〇頁。

(91)　ちなみに、昭和二七年四月二五日第二小法廷判決で扱われた事件は、昭和十年に成立した家屋の賃貸借において「上告人〔＝賃借人〕は昭和一三年頃出征し、一時帰還したこともあるが終戦後まで不在勝ちでその間本件家屋には上告人の妻及び男子三人が居住していたが、妻は職業を得て他に勤務し昼間は殆んど在宅せず、留守中を男子三人が室内で野球をする等放縦な行動を為すがまゝに放置し、その結果建具類を破壊したり、又これ等妻子は燃料に窮すれば何時しか建具類さえも燃料代りに焼却して顧みず、便所が使用不能となればそのまゝ放置して、裏口マンホールで用便し、近所から非難の声を浴びたり、室内も碌々掃除せず塵芥の堆積するにまかせて不潔極りなく、昭和一六年秋たまたま上告人が帰還した時なども、上告人宅が不潔の故を以て隣家に一泊を乞うたこともあり、現に被上告人の原審で主張したごとき格子戸、障子、硝子戸、襖等の建具類……は、全部なくなっており、外壁数ケ所は破損し、水洗便所は使用不能の状態にある。そして、これ等はすべて、上告人の家族等が多年に亘って、本件家屋を乱暴に使用した結果によるものである」（民集四五二一―三頁）という事実の認められた事件であった（この事件においては、賃貸人は昭和二十二年六月二十日に十四日の期間を定めて上記破損個所を修復すべき旨の催告をしたが、賃借人はこの期間を当時としては短きに失すると主張した。この点に関しては幾代・民商法雑誌二八巻四〇一―二頁を参照）。昭和三一年六月二六日第三小法廷判決で扱われた事件は、宅地の賃貸借において「上告人〔＝賃借人〕は本件土地をバラック所有のためにのみ使用し本建築をしないこと、上告人は同所に寝泊りをしないこと等を特約して一時使用のため被上告人〔＝賃貸人〕より右土地を賃借して地上に木造木葉葺周囲板張りのバラックなる仮設建物を建築所有したのであるが、その後に至り上告人は右地上に建築した前記建物を旧態を全然留めない程度に改築して木造瓦葺二階建の長年月の使用に耐え得べき本建築物にし、上告人夫婦において居住している」（民集七三一―二頁）という事実の認められた事件である（この事件における争点は上記特約の存否に集中されていたが、催告の点に関していえば、賃貸人は第二審で改築後に原状回復を催告したにもかかわらず賃借人がこれに応じなかったと主張したのに対して賃借人はこのことを否認し、裁判所はこのことについて何らの認定もしていない）。

(92) 例外的に本文所述のような催告を要しないとしてさしつかえないであろうと考えられる場合を示唆するために、そのような事案を取り扱って同じ結論を認めた下級裁判所の判決を若干あげておこう。東京地判・昭和二五年六月二三日判例タイムズ六号四二頁以下（家屋の賃借人が契約に違反してなした改造工事につき「原告（＝賃貸人）は昭和二十五年二月九日被告が大工二人を依頼してこれに着手したばかりのとき、すなわち右家屋の外囲の取壊をしている際にその事実を知ったので、直に実兄……を現場に呼び寄せ同人とともに被告に対しその違約を責め工事を中止するように申し入れたのに対し、被告は『家賃を払っているから自分の自由である』といって右申入を拒絶するとともに工事を続行し、遂に同月十三日の仮処分命令〔右工事の続行禁止、右家屋の占有移転禁止の〕の執行までに原告主張のような工事をした」という事実の認められた事件）、東京地判・昭和二五年九月二五日判例タイムズ八号六一頁（家屋〔および土地?〕の賃借人が「保険金詐取の目的で……本件家屋の隣家である訴外山本方に放火し、よって本件家屋に延焼させようと考え、山本方勝手屋根に放火したが、同訴外人が早期に発見消火したゝめ消し止められたが、右山本方は本件家屋に密接してをり、当時は風速八米位の強風があったので、若し右放火が早期に発見されなかったならば、本件家屋は焼失するに至るところであった」という事実の認められた事件）、東京高判・昭和二八年六月二日東京高裁判決時報民四巻四五頁以下（賃借人が賃借家屋の一部を改造してネームプレート製作の仕事場としたが「右改造は住宅としての本件家屋の用法に従う使用方法とはいい得ない」のみならず「控訴人（＝賃貸人）の母……が被控訴人方において本件家屋を改造していることを耳にし、被控訴人の家族に対し『そんなことをされては柱がまがって困る』と中止方を申入れたのに対し、『出るとき（家屋を明け渡すとき）に元通りに直せばよいだろう』といって聞き入れず、その後訴外亀山幸作に依頼して更に同様の申入をしたが、被控訴人は応ぜず、前記のごとく家屋の改造を遂げ、ネームプレート製作の仕事もつづけていることがみとめられる」とされた事件）、東京地判・昭和三二年五月一〇日判例時報一一九号一五頁以下（建物の賃貸人が「その営業とする煙草の小売の為将来煙草の陳列窓を設ける為」に残しておいた空地の部分に賃借人が二回にわたる無断増築工事をなし二回目の増築の「結果、前記空地をすべて使用するに至ったこと」、賃借人は賃貸人が「二回にわたる増築工事に対して……その都度強硬に故障申出をしたのにもかかわらず……これを無視して右工事を強行したこと」、この増築によって「隣家の貸主……の煙草陳列窓の見透しが困難となり、その結果……煙草の売上に著しい影響を与えたこと」が認められた事件）。――なお、最判・昭和三五年六月二八日民集一五四七頁以下は、従前もしばしば賃料支払を遅滞したことのある借家人が賃料を十一カ月ひきつづいて支払わないので賃貸人が無催告で「解除」したのを有効とした原判決を破棄しているが、正当というべきである。ただ、民法第五四一条の適用を認めているかぎりで、それはなお、大判・昭和八年七月三日新聞三五八六号一三頁以下のような不当な取扱と絶縁していないといわざるをえないであろう（後者は「盲目ニシテ多数ノ家族ヲ有スル下級生活者」たる借家人が一カ月分の賃料支払を「正味三日間」遅延した事案につき「上告人カ同年〔昭和七年〕五月分ノ賃料ヲ同年五月三十一日ノ支払期日ヲ経過スルモ支払ハサリシコトハ原判決ノ認定シタル所ナレハ被上告人カ原判示ノ如ク同年六月四日ヲ以テ上告人ニ対シ債務不履行ヲ原因トシテ同月六日迄ニ賃料ヲ支払フヘク然ラサレハ賃貸借ヲ解除スル旨ノ意思表示ヲ為シタルハ不当ニ非ス蓋シ上告人タル賃借人ハ賃料ノ支払ヲ怠ルコト数日ニ過キスト雖モ契約違反タルヲ免カルルヲ得サレハナリ」としたもので、賃貸借に民法第五四一条を適用することの不都合を借家関係の領域で最も明瞭に示した判決であった）。

第四節　総　括

これまでの論述を総括しよう。

賃貸借の「解除」のうちで、実際問題として重要なのは、いうまでもなく賃貸人のなす「解除」であるが、それはどのような場合に許されるのか。

古い時代には、民法第六一二条および第五四一条の全面的な貫徹が、判例および学説によって承認されていた。しかし、第二節および第三節でみたように、不動産の賃借人の地位の安定に対する保障という課題が立ち現われるに及んで、この課題と伝統的解釈との矛盾をどのようにして克服するかが、時代とともにますます重要な法的課題となった。そうして、その克服は、立法手続によってなされる前に、解釈をとおしてなされることになった。一つは判例によって、もう一つは学説によって。すなわち、ここにつぎのような法命題が打ち樹てられるに至ったのである。――

(1)　民法第六一二条第二項は、賃借人が賃貸人の承諾なく「第三者ヲシテ賃借物ノ使用又ハ収益ヲ為サシメタルトキハ賃貸人ハ契約ノ解除ヲ為スコトヲ得」るものと定めているが、「賃借人が賃貸人の承諾なく第三者をして賃借物の使用収益を為さしめた場合においても、賃借人の当該行為が賃貸人に対する背信的行為と認めるに足らない特段の事情がある場合においては」、賃貸人は同条同項による賃貸借の「解除」をなしえない（判例）。

（2） 民法第五四一条の規定は賃貸借に適用のないものであるが、賃貸借の継続中に賃借人において「その義務に違反し信頼関係を裏切って賃貸借関係の継続を著しく困難ならしめるような不信行為のあった場合」（判例の言葉を借用）には、賃貸人は賃貸借の「解除」をなしうる（学説）[93]。

この二つを統一的に述べれば、つぎのようになるであろう。すなわち、賃貸人が賃貸借の「解除」をなしうる場合については民法第六一二条の規定があるけれども、賃借人は自己の行為が「信頼関係」の破壊にあたらないものであることを主張・立証して同条による「解除」を免れることができ、また賃貸人の方では、民法第六一二条以外の場合でも「信頼関係」の破壊があったことを主張・立証することによって賃貸借の「解除」をなすことができるのである、と。この統一的記述によって表現されている解釈がどんなに合理的なものであるかは、多言を要しないであろう。

本稿の分析によって明らかなように、右に記した二つの命題は、定立さるべくして定立されるに至った法命題である、ということができる。なるほど、立法手続をとおしてこれが明確にされるにしくはないと人はいうかも知れない。それはたしかにそうである。しかし、定立さるべき法命題が立法手続をとおして現実に定立されうるかどうかは、現実の立法過程において作用する諸種の要因のからみあいによって決せられるものであることを、われわれはここで想起しなければならないであろう。前記の法命題の形成に関する判例および学説の先駆的な役割は、おそかれ早かれ立法手続をとおして是認されるであろうが、問題は、そのようなところにはないのだといわなければならない。

今や、問題は、前記の法命題において決定的に重要な意義を附与されたところの観念、すなわち「背信」ないし「不信」という観念をどのように把握するか、という問題である。本稿で、「信頼関係」とは何かということ――「信頼関係」の質の問題――を論じ、且つまた、具体的な場合にのぞんで「信頼関係」の破壊すなわち「背信」行為ないし「不信」行為の存否を決するためにはどのような類型的標識が役立てらるべきであるかということを論じたのも、まさにそのような考慮に基いてであった。この点の論述が、実際の上で何らかの示唆を与えうるものであると同時にかの法命題に一そう強固な基礎を与えるものにもなるならば、もともとかの二つの法命題の形成の必然性を分析するというところに関心の根ざしていた筆者にとっては、望外のよろこびであるといわなければならない。(94)

(93)　この命題（特に重要なのは冒頭の部分）は学説上のものとして出現したのであるが、ここ数年来、下級裁判所の判決には実質的にこれと同一に帰着するものが出てきており、その趨勢は、民法第六一二条第二項に関する最高裁判所の判例を導いた下級裁判所の判決の趨勢に近い様相をみせつつある。第三節では「賃貸借と民法第五四一条」の問題に関する裁判例の跡づけをしなかったのであるが、これにつき、拙著『借地借家判例の研究』〔昭和四〇年〕三三—八七頁、参照。

(94) 「信頼関係」の質の問題に関し、くわしくはさらに拙稿「近代市民法における人間——社会関係における『人的要素』と近代市民法」(法哲学年報一九六三年度(下)所収)、註93所引拙著八九—一二二頁、参照。ちなみに、東京地判・昭和三四年六月二九日判例時報一九二号一二頁以下は、賃貸借における「信頼関係」——その質——を論じたものとして注目すべき判決であった。註93所引拙著一二三—一三九頁、参照。

第三　委任契約の「解除」(1)

一

民法第六五一条は、「〔第一項＝〕委任ハ各当事者ニ於テ何時ニテモ之ヲ解除スルコトヲ得〔第二項＝〕当事者ノ一方カ相手方ノ為メニ不利ナル時期ニ於テ委任ヲ解除シタルトキハ其損害ヲ賠償スルコトヲ要ス但已ムコトヲ得サル事由アリタルトキハ此限ニ在ラス」と規定している。すなわち、委任契約は各当事者がいつでも「解除」しうるもので、ただ「解除」が相手方に不利な時期になされた場合に損害賠償の必要があるにすぎず、しかも、やむをえない事由があったときはこの損害賠償の必要すらないという規定になっているのであり、そしてこの規定は、どのような類型の委任契約についても（もちろん有償・無償も問わないで）適用されるような表現になっているのである。

民法第六五一条は起草当時から現行どおりの条文であったが、このような規定を用意した起草者の考えの根底には「委任ハ其双方ノ信用ト云フモノヲ土台トシテ委任者モ相手方カアノ人テアルカラ委任ヲスル受任者モ相手方カアノ人タカラ引受ケテ其仕事ヲスルト云フ」契約なのだという見地があり、このように「契約ノ原則ニ反シテ一方ニ……理由ナシノ解除権カアル」のは「委任ト云フモノノ特質カラ来テ居ル」と説明され、また第二項については「相手方ノ為メニ不利ナ時期テアッタナラハ賠償ヲサスト云フコトカ必要テアル併シ夫レモ正当ノ事由カアッタナラハ……〔たとえば〕辞スル者ハ損害賠償ヲシナケレハナラヌト云フノハ通常ノ理論テハゴザイマセウガ委任ノ場合ニ於テハ其委任ノ性質カラ其場合ニハ責任カナイトシタ方カ宜カラウト思ッテ斯ウシタ」と説明された。(2) このような考え方に対しては、すでに法典調査会において反対がとなえられており、(3) 議会でも反対がとなえられたが、(4) これらの反対は容れられなかったのである。

しかし、民法第六五一条が問題をはらんでいることは、たしかであった。

そもそも同条は、その規定の骨子においてローマ法にさかのぼるものであるが、ローマ法における委任（mandatum）の「解除」（撤回（revocatio）および辞任（renuntiatio））についての扱い（Gai I. 3, 159; D. 17, 1, 12, 16; 15; 22, 11; 27, 2; Iust. I. 3, 26, 9; 11）は委任の無償性という建前（Gai I. 3, 162; D. 17, 1, 1, 4; 36, 1; Iust. I. 3, 26, 13）と関連しあっていたのに反し、民法第六五一条は、有償委任であると無償委任であるとを問わず適用される規定という体裁になっている。ローマ法においては、委任が無償であった反面で、有償の労務提供は今日の雇傭ないし請負にあたる賃約（locatio conductio）によっておこなわれたのであった。社会的分業の発展に伴って登場した諸種の職業上の労務提供のうち、弁護士・医師・教師などのする労務提供のようないわゆる「自由人に値いする」労務提供 (operae liberales) については、ローマ人の契約観に基いて委任の対象たるべきものとされながら、しかも特別訴訟手続による報酬の訴求が認められるようになってゆくが（C. 4, 35, 1）、しかし、たとえば医療契約でも医師が奴隷ないし被解放者である場合などには賃約であったと考えられるし(5)、また、特別訴訟手続の一般化（通常訴訟手続の衰滅）、委任における報酬の一般化とともに、委任は、自由に「解除」しうるものではなくなったのである(6)。

ユースティーニアーヌス帝が、古典法復帰の熱望から無償の原則と「解除」の自由とを再現させながらしかも同時に報酬請求権の発生可能性をも承認したことは、後世の諸立法に重要な影響を与える結果となった。たとえば、フランス民法典は、それに従って、別段の合意のないときに委任を無償とする旨（第一九八六条）とともに撤回の自由および正当な事由のない場合の損害賠償責任を伴う辞任の自由（第二〇〇四条・第二〇〇七条）を規定している。しかし、判例は、これに修正を加えざるをえなかった(7)。フランス民法典とならんで日本民法典の起草の際に大きな影響を与えたドイツ民法第一草案は、委任は有償でありうる旨（第五八六条）とともに撤回の自由および正当な事由なく適正でない時期になされた場合の損害賠償責任を伴う辞任の自由（第五九七条・第五九八条）を規定しようとした。しかし、この立場は批判をうけ、いわゆる第二委員会によって、委任は無償契約でなければならないものと改められると同時に（第二草案第五九三条）事務処理を目的とする雇傭ないし請負に委任の規定の大部分を準用するが「解除」の自由に関する規定（第二草案第六〇二条（現第六七一条に相当））は準用しないことを明らかにする規定（第二草案第六〇六条）が設けられるに至り(8)、これが現行ドイツ民法典にひきつがれている（第六六二条・第六七五条（なお、商人の事務処理ないし労務給付はつねに有償、商法第三五四条））。スイス債務法（現行）は、合意または慣行によって委任は有償たるべき旨（第三九四条）および適正な時期になされなかった場合の損害賠償責任を伴う「解除」の自由（第四〇四条）を規定した。しかし、委任のようにみえながら（無償委任におけると同様の）「解除」の自由を認めるのは不都合であるような有償の労務提供関係に関して種々困難が生じ（「解除」の自由の有無で委任かどうかがきまるというのでは――まさに前者が論議の中心となるのだから――解決にならなかった(9)）、なかんずく複雑な問題をかかえていた代理商の法律関係に関しては、委任関係としての把握とともに時に応じて雇傭に関する規定への依存を打ち出した注目すべき判例の形成のあと、ついに一九四九年、それを委任の一種としつつ「解除」に関して雇傭の場合に類した規定を設ける立法（一九四九年公布・翌年より施行の法律で新設された債務法第四一八条のq・r、なお第四一八条のt・u参照）が導かれるに至ったほどである(10)。

イギリスにおいては、利益と結合した代理権（Authority coupled with an interest）は撤回しえないという確定判例や、約因を得、不可撤回性を明定した授権捺印証書による代理権を撤回しえないものとする立法（Law of Property Act, 1925, Sect. 126 (also 127)――もっともそこでは第三者の保護が第一次的な目的）があるほか、一般に撤回の自由があるとはいいながら撤回すると契約違反に基く損害賠償ないし約定の報酬の支払を義務づけられる例が多い

（そのため裁判所はルースにもしばしば「撤回しえない」代理権という不正確な言い方をするくらいである）反面、無償委任では辞任の自由が実質的にも（つまり損害賠償責任不発生の原則という形で）確保されている。(11) 詳論はひかえざるをえないがアメリカでも事情はイギリスにおけると大差ないといえよう。(12)

紙数の都合で簡単な検討しかできなかったが、以上のような比較法的検討に立脚していうなら、われわれの民法第六五一条の規制が貫徹されがたいものであったとしても何らあやしむに足りまい。もちろん、すでに制定法上いくつかの特則がある（たとえば商法第五〇条・第二五七条（第二五四条第三項）、有限会社法第三二条など（なお、商人の営業範囲内の行為は当然有償、商法第五一二条））。しかし、それだけではない。委任契約の「解除」に関しては、注目すべき一連の判例が形成されているし、また形成されつつあるのである。これをつぎにみてゆくことにしよう。

（1）　委任契約においても——賃貸借の場合（民法第六二〇条）や雇傭の場合（第六三〇条）と同様——「解除ハ将来ニ向テノミ其効力ヲ生ス」るもので（第六五二条）正確にいえば告知（Kündigung）にほかならないが、本稿では、法典の用語に従って「解除」の語を用いておく。もっとも、委任者の「解除」を撤回（révocation, revocation, Widerruf）、受任者の「解除」を辞任（renonciation, renunciation）——ドイツやスイスでは Widerruf に対して Kündigung——とよびわける外国の用語法にならって、必要に応じ撤回・辞任とよびわけることもある。

（2） 日本学術振興会謄写『法典調査会民法議事速記録』三五巻一九二丁（富井政章）〔明治二八年〕。同旨、梅謙次郎『民法要義巻之三』〔増訂、明治三八年〕七五一―二頁。こうした説明がその後も多くの学者によって踏襲されていることは周知のとおりである。もっとも、註33参照。

（3） たとえば土方寧「……相手方ノ為メニ不利ナル時期ニ於テ解除ヲシタルトキニハ其損害ハ賠償ヲシナケレハナラヌト云フコトニ為ッテ居リマスガ私ハトチラテモ賠償ヲ求メルコトカ出来ルト云フコトテナケレハナラヌト思ヒマス……無償ノ場合ヲ想像シタナラハ一項ノ通リニ為ッテ居ッテ夫レカ為メニ多少損害カアッテモ解除シテ宜カラウト思ヒマス、ケレトモ有償ノ場合ニハ純然タル一ノ契約テ受任者カ夫レカ為メニ報酬カ貰ヘル報酬ヲ貰ウト云フ点ハ実ハ自己ノ為メニスルノテアルカラ無償ノ場合トハ違ウ委任セラレタ事ヲ自分カ為シ得ヘキ見込ヲ付ケテ居ル夫レテ委任者ノ方ノ解除モ又辞任者ノ方ノ辞任モ制限ヲシナケレハナラヌト思ヒマス……〔解除をゆるすとしても〕受任者カ辞任ヲスレハ夫レカ為メニ委任者カ受クヘキ利益ノ損害ヲ賠償シナケレハナラヌト思ヒマス……不利ナル時期ニ限ッテ損害賠償ヲシナケレハナラヌト云フコトニ制限セラレタノハ較々昔シノ本来無償テアルト云フ説ト委任ト云フ理論トニ基クモノテアリマス其理論ハ……有償契約ノ関係ヲ度外視シタモノテアラウト思ヒマス契約ノ方カラ見レハ夫レハ委任モ解クコトカ出来ル夫レカ為メニ損害ヲ加ヘタナラハ夫レハ賠償ヲシナケレハナラヌ……有償ノ契約カ成立ッタトキニハ其契約ニ依テ生スル損害ハ賠償スルト云フ責任カアルト云フコトニ為ラナケレハナラヌト思ヒマス夫レニ付テ何処テモ委任ハ何時テモ解除スルコトカ出来ルト云フコトニ為ッテ居……ルト云フ御話シ〔富井委員〕テアリマスケレトモ英吉利抔テハ多少制限カアリマス……譬ヘハ売買ノ場合私カ不動産ヲ持ッテ居ル是ヲお前売ッテ呉レンカ其売捌キノコトヲ依頼スル其代リ幾割ノ報酬ヲお前ニ手数料トシテ上ケル……然ウ云フ場合ニハ委任シタ者ハ解除ハ出来ナイト為ッテ居リマス……他国ニ於テハ立法例カナイト云フ御話シテアリマスガ英米法ニ於テハ受任者カ委任ノ事ヲスルニ付テ一ツノ特別ノ権利ヲ有スル場合ニ付テハ夫レヲ取消スコトハ出来ヌト云フ規則ニ為ッテ居リマス其取消ハ事実ハ出来マスカラ其時ニハ取消サナイト同シ事ヲ受任者カ〔ニ?〕シナケレハナラヌ夫レモ幾分カ場合ニ依ッテハ認メテ居ルト思フ兎ニ角有償ノ場合モ随分アルト見レハ解任解除ノコトハ委任ノ理論カラ言ヘハ夫レニ伴フテ損害ヲ生シタナラハ賠償ヲシナケレハナラヌト云フコトカナケレハナラヌト思ヒマス」〔明治二八年〕。

(4)　山田泰造「……委任契約ノ或全体ノ主義ガ、……委任ヲ受ルヤツハ余程馬鹿者デナケレバ委任ヲ受ケルコトガ出来ナイト云フ精神ト……見エル、……委任ヲ受ケテ重大ナル責任ヲ負フテ、特約ガナケレバ報酬ヲ取ルコトガ出来ナイト云フノハ、恐ラクハ世ノ中ニコンナ馬鹿ラシイコトハアルマイト思ヒマス、……ソレカラモウ一ツ……『委任ハ各当事者ニ於テ何時ニテモ之ヲ解除スルコトヲ得』トアル、尤モ不利益ノトキニハ損害要償ガ出来マスガ、……人ノタメニ日子ヲ費ヤシ、併セテ識力ヲ費ヤシテサウシテ唯損害賠償ノ判断ト云フモノハ、己レガ失ッタ丈ニ止マル、労力ノ上ニ於テモ、幾ラ日子ヲ費シテモ其損害ノ部分丈ニナルノデアリマセウガ、ケレドモ或ル場合ニ約束ヲシテ置テ、突然ドウモ事成タ時分ニ解カレタト云フ、サウ云フ場合ニハ、非常ナ不都合ヲ来タスコトニナリハスマイカ、……委任ヲ受ケテスル者ハ遊ンデ居ル者バカリト見レバ宜イノデスケレドモ、好意上デシテモ損ヲシテマデモシヤウト云フ者ハ、恐ラク無イノガ一般ノ状態ト思フノデス、是ハ信用ガ欠ケタラ解クト云フコトナラ宜シイノデスガ、信用ヲ欠クト云フ時ハ無論ノコトデアリマスルケレドモ、信用ヲ欠ク丈ノ原因ガナケレバナラヌ、一旦人ニ委任ヲシテ置イテ、其事ガ九分九厘マデ出来テ仕舞ッテ居ルノニ、突然ト解任スルト云フヤウナサウ云フヤウナコトハ、一方ニ取テハ甚ダ不利ナコトデアル、故ニ茲ニ何トカ其間ニ之ヲ調和スルノ規定ヲ設ケル訳ニ往カヌモノデセウカ」（第九回帝国議会衆議院民法中修正案委員会速記録・明治二九年三月一三日、一四六―七頁〔→『民法修正案理由書』附録・法典質疑要録二六七―二七〇頁〕）。

(5) E. g. Alan Watson, Contract of Mandate in Roman Law, 1961, p. 99 sqq.

(6) Ernst Levy, Weströmisches Vulgarrecht. Das Obligationenrecht, 1956, S. 287 ff.; Max Kaser, Das römische Privatrecht, II, 1959, S. 300.

(7) E. g., Marcel Planiol et Georges Ripert, Traité pratique de droit civil français, 2e éd., XI, 1954, p. 935 sqq.

(8) Protokolle, S. 2287 ff., 2335 ff. [1892]. ――委任を無償のものに限る修正は、有償契約たる使用賃貸借に対して無償契約たる使用貸借を規定するのと同様に有償契約たる雇傭ないし請負に対して無償契約たる委任を規定することにより相互の区別を明らかにしようという意図をもっていたようである (Protokolle, S. 2288)。たしかに、これによって委任と雇傭ないし請負との区別は明らかになった反面で、委任に関する規定（の大部分）の準用をうける雇傭ないし請負とそうでない雇傭ないし請負との区別という難問に人々はぶつかることになった。その意味において、「委任を無償に限った」ことは「法律関係の紛糾を導いているようにみえる」（我妻栄『債権各論』〔中巻二、昭和三七年〕五三二頁）。その上、労働法の発展に伴って、その適用をうける労務提供をとりだすためにいわゆる従属性（Abhängigkeit）の概念が用いられるようになったので、雇傭契約なるものの中に質を異にするものが混在することは一そう明らかになってきた。しかし、それでは日本法が明快かというと、決してそうではない。本稿で明らかにされるように民法第六五一条があらゆる委任に適用されうるわけではないのみならず、そもそも所与の契約が(有償)委任なのか雇傭なのかの決定は具体的な事案においてしばしば困難なのであり、さらにまた、たとえば労働基準法の適用をうける契約の中にはある種の委任も――当事者間に従属関係を生ずるような労務供給契約とみられるなら（＝少なくとも多数説）――ふくまれうるとすれば、日本法における「紛糾」はドイツ法にまさるとも劣らないのである（ドイツ民法典より新しい法典で日本民法典におけると類似しているスイス債務法においても、本文でまもなく述べるように事態は同じであった）。ドイツ法にだけ「紛糾」や「無用の混乱」（我妻・上掲書六五九頁）を感ずるなら、それはドイツ法に対してきびしすぎるであろう。

(9) E. g., Hugo Oser und Wilhelm Schönenberger, Das Obligationenrecht (Kommentar zum schweizerischen Zivilgesetzbuch, V), 2. Aufl., 1936, S. 1152 f., 1500 f.

(10) E. g., Theo Guhl, Das schweizerische Obligationenrecht, 5. Aufl., 1956, S. 375, 376 f.; s. auch Konrad Fehr, Das neue Bundesgesetz über den Agenturvertrag, Zeitschrift für schweizerisches Recht, N. F. Bd. 69, 1950, S. 1 ff.; Hans Fehr, Das neue schweizerische Gesetz über

den Agenturvertrag, Zeitschrift für das gesamte Handelsrecht und Konkursrecht, Bd. 114, 1951, S. 1 ff. （新立法に問題がないわけではないようであるが、詳論はひかえる。）

(11) 本文の記述だけでは簡単すぎて不正確のきらいもあるが、詳論はひかえざるをえない。文献として、たとえば Anson's Law of Contract, 20th ed., 1952, p. 112 sq., 416 sqq.; Chitty on Contracts, 21st ed., Vol. 2, 1955, p. 11, 38 sqq.; G. C. Cheshire and C. H. S. Fifoot, The Law of Contract, 5th ed., 1960, p. 411 sqq.; S. J. Stoljar, A Rationale of Gifts and Favours, The Modern Law Review, Vol. 19, 1956, p. 252 sqq.; Bowstead on Agency, 12th ed., 1959, p. 79, 301 sqq., 308 sqq.; G. H. L. Fridman, The Law of Agency, 1960, p. 111, 262 sqq.; Harold Greville Hanbury, The Principles of Agency, 2nd ed., 1960, p. 85 sqq.; Raphael Powell, The Law of Agency, 2nd ed., 1961, p. 302 sq., 378 sqq., 392 sqq.

(12) See Restatement of the Law of Agency, 2d., 1958, §§ 138, 139 ("Power given as security"), 118 comment b, 377 comment c, 378 comment b (with Reporter's Note to § 354), 450, 455 et passim; also Williston on Contracts, Vol. 1, 1936, p. 489 sqq., 816, 822 sqq. et passim, Corbin on Contracts, Vol. 1, 1950, p. 551, Vol. 5, 1951, p. 135 sqq. et passim, Warren A. Seavey, Reliance upon Gratuitous Promises or Other Conduct, Harvard Law Review, Vol. 64, 1951, p. 919 sq., 926 sq.

二

委任契約の「解除」に関する判例の展開を以下に跡づけようとするわけであるが、われわれは、まず、民法第六五一条それ自体に関する判例をみることから始めなければならない。

（一）　最初に指摘しなければならないのは、民法第六五一条所定の「解除」権の放棄ないし制限を有効なものとして扱うのが判例の一貫した態度だということである（つぎに述べる大判・昭和一四年で明白であるが、早期の例として大判・明治三六年一月二三日民録五八頁）。[13]

もちろん、放棄があれば絶対的に「解除」が不可能になるというわけではない。たとえば昭和十四年に、大審院は、私立学校の経営者が校長に「職務上校長タル品位ヲ失墜スル不都合ナル行為ヲ為スカ又ハ病気ノ為其ノ職ニ堪ヘサルニ至ル迄ハ其ノ地位ノ安全ヲ保障スルコト」を約して「校長タル職務ヲ委託シ且之ニ付一定ノ報酬ヲ支給スルコトヲ合意」した事案で、その契約関係を委任と認めつつ「已ムコトヲ得サル事由ニ依ル解除」を許容した（大判・昭和一四年四月一二日民集三九七頁以下）。この判決は、原審が右契約関係を「民法所定ノ雇傭契約」で右校長の「終身間ヲ期間トスルモノ」としつつ民法第六二八条にいわゆる「已ムコトヲ得サル事由」に基く「解除」を許容したのを、上告人たる右校長が攻撃して「校長トシテ就任シタルハ普通一般ノ雇傭ニ依リ成リタルモノニ非ス……契約ノ内容ハ上告人カ校長タル品位ヲ失墜スル不都合ナル所為ヲ為スカ又ハ病気ノ為其ノ任ニ堪ヘサル場合ノ外其ノ職ヲ免セラレサルコトヲ約シ地位ノ安全ヲ保障シ且解除権ヲ行使スルニハ前記学校ノ相談役……ノ意見ヲ徴スヘキコトノ条件ヲ包含スル一種独立ノ無名契約ナ」りと主張したのに対し、

「……当事者間ノ法律関係ハ畢竟法律行為ニ非サル事務ノ委託ニシテ所謂準委任関係ナリト認ムルヲ相当トスヘク上告人主張ノ如キ無名契約ヲ以テ目スヘキモノニ非ス尤モ原審カ之ヲ以テ民法所定ノ雇傭契約ニ該当スト為スハ妥当ナラスト雖原審ハ已ムコトヲ得サル事由ニ依ル解除ヲ認メタルモノナルヲ以テ原判決ハ結局相当」

としたものであって、有償委任と雇傭との差異の微妙さ（ないし両者の間に境界線をひくことの困難さ）を示唆したものという観点から興味ぶかい判決であるが、この点はさしあたり論じないこととして、この判決は、民法第六五一条の「解除」権の放棄が有効であることとともに、放棄があっても「已ムコトヲ得サル事由」に基く「解除」はなお可能であることを判示したリーディング・ケースであるといえよう。(14)

なお、民法第六五一条所定の「解除」権の放棄ないし制限が脱法行為となる場合には、それはもちろん無効とされなければならない。これについては周知のように多数の裁判例がある。(15)

（二）　民法第六五一条所定の「解除」権の放棄を有効とする解釈は、一定類型の委任関係において放棄の推定ないし放棄の擬制あるいは黙示の放棄の認定をする可能性につらなっており、そしてこの可能性は、同条をそもそも一定類型の委任関係に適用のないものとみる可能性につらなっている。

画期的な判例は大審院の大正九年の一判決であった。すなわち、債権の取立を委任するとともに取立報酬を受任者の委任者に対する債務の弁済にあてる旨の特約(16)がなされていたのに委任者が民法第六五一条による「解除」の意思表示をしたという事案において、大審院はつぎのように判示したのである。

「委任ハ当事者双方ノ対人的信用関係ヲ基礎トスル契約ナルヲ以テ自己ノ信任セサル者ヲシテ其事務ヲ処理セシムルコト能ハサルト同時ニ自己ノ信任セサル人ノ事務ヲ処理スルハ受任者ノ人情トシテ堪ヘ難キ所ナリトス是民法第六百五十一条第一項ニ於テ『委任ハ各当事者ニ於テ何時ニテモ之ヲ解除スルコトヲ得』ト規定シタル所以ナリ従テ同条ハ受任者カ委任者ノ利益ノ為メニノミ事務ヲ処理スル場合ニ適用アルモノニシテ其事務ノ処理カ委任者ノ為メノミナラス受任者ノ利益ヲモ目的トスルトキハ委任者ハ同条ニヨリ委任ヲ解除スルコトヲ得サルモノト解スルヲ相当トス蓋シ後ノ場合ニ於テ委任者カ右法条ニヨリ何時ニテモ委任ヲ解除シ得ヘキモノトセムカ受任者ノ利益ハ著シク害セラルルニ至ルヘケレハナリ本件ニ於テ上告人カ原審ニ於テ抗争シタル事実ハ本訴債権ハ明治四十五年七月三十日ヲ以テ弁済期トナシタリト雖モ被上告人ハ上告人ノ居村ニ於ケル債務者ニ対スル貸金一千円ノ取立ヲ上告人ニ委任シ其取立高ノ一割ヲ報酬トシ該報酬金ヲ以テ本訴

債権ノ弁済ニ充当スヘキ旨ノ特約成立シ此特約ハ今尚ホ存続スルニヨリ本訴債権ノ弁済期ハ未タ到来セストス云フニ在リテ該特約カ当事者間ニ成立シタル事実ハ原審カ明カニ認メタル所ナリトス果シテ然ラハ右取立委任ハ委任者タル被上告人ノ為メノミナラス受任者タル上告人ノ利益ヲモ目的トスルモノナルヲ以テ被上告人ハ前段説示シタル理由ニ基キ民法第六百五十一条第一項ニヨリテハ之ヲ解除スルコトヲ得サルモノト謂ハサルヘカラス然ルニ原審カ各当事者ハ同条ニヨリ何時ニテモ該取立委任ヲ解除シ得ヘキモノト為シ被上告人カ大正八年七月三日為シタル解除ノ意思表示ヲ有効ナリト認メ従テ本訴債権ノ弁済期ハ既ニ到来シタルモノト判断シ上告人ニ敗訴ノ判決ヲ言渡シタルハ法則ヲ不当ニ適用シタル不法アルモノニシテ……原判決ハ此点ニ於テ全部破毀ヲ免レサルモノトス」(大判・大正九年四月二四日民録五六四—五頁)。

右の判例は、その後の大審院判決によって確認されているばかりでなく、(17) 近年の下級裁判所判決の中にもそのまま生きている。たとえば、

「原告が本件土地並びに本件建物を代物弁済として、その所有権を取得したものであることは既に認定した如くであり、そうすると、被告は原告に対し、該権利変動に基く登記手続に協力する義務を負担するものというべきであって被告が白紙委任状を原告に交付したことはかかる義務を履行する手段として、予め白紙委任状を交付して登記義務者として登記手続をなす権限を原告に委任したものと言うべきであるから、右は、被告(委任者)の利益のみ目的としてなされた委任ということはできない。そして、かかる場合には……民法第六百五十一条第一項の適用はなく委任者は本条により委任を解除することはできないものと解すべきで

ある。蓋し、委任者が右法条により何時にても委任を解除しうるものとすれば、受任者の利益は著しく害せられるに至るからである」

としたもの（東京地判・昭和三〇年八月二五日ジュリスト九五号六一頁）や、

「控訴人はかねて訴外Aに数十万円の借受金債務を負担していたので、右債務を弁済する手段として、昭和二六年一一月二九日、甲第一号証の譲渡委任状と題する書面を差入れてAにたいし、同人が天野〔控訴人〕の代理人として本件不動産を他人に売却し、その所有権移転登記申請手続その他一切の行為をする権限を与え、これと同時に右売却代金をAにたいし負担する右債務の弁済にあてる旨の弁済の予約をしたことを認めることができる。このように右委任契約は債務弁済の手段として弁済の予約と不可分一体のものとして一箇の契約をもってなされたものであって、控訴人の利益のためばかりでなく、被控訴人〔Aの誤り?〕の利益のためにもなされたものであるからこの内容と性質とにかんがみ、控訴人は債権者たるAの同意なくしては一方的に契約を解除しえないものと解すべきものである（大正九年（オ）第一七四号、大正九年四月二四日大審院判決参照）。よって控訴人が昭和二六年一二月下旬ごろ、および昭和二七年一月一〇日ごろAにたいし、右委任契約を解除する旨の意思表示をしたから、これによりAの代理権は消滅したという控訴人の主張は……理由がない」

としたもの（東京高判・昭和三一年九月一二日東京高裁判決時報民七巻一九五頁）が、その例としてあげられよう。これらの事案においては、そして大正九年の大審院判決で扱われた事案においても実はそういえるのであるが、委任は一個の契約の一部を成しているとみることもできるのであり、そのかぎりでは、一個の契約の一部として委任があった場合につき契約全体の変更ないし解消なくして第六五一条所定の「解除」をゆるすことはできない旨の法命題を打ち出したとみられる大正六年の大審院の一判決（大判・大正六年一月二〇日民録六八頁以下）の例にならっても同じ結論は導かれえたのである。この大正六年の判決は、そこで扱われた事案において委任が「委任者ト第三者及ヒ受任者トノ間ノ他ノ契約」と結合し関係者間の包括的契約関係の一部となっているもの[18]であったために、委任者・受任者の二当事者の間の包括的契約関係の一部としての委任の「解除」の許否という問題については、先例として機能しえないことになったのであろうか。ともあれ、大正九年の前記大審院判決が、先例として広範囲に機能しうる可能性をになった画期的判決であったことは、否定しえないであろう。「事務ノ処理カ委任者ノ為メノミナラス受任者ノ利益ヲモ目的トスル」ような委任というなら、その及ぶ範囲はきわめて広いからである。

（三）「事務ノ処理カ委任者ノ為メノミナラス受任者ノ利益ヲモ目的トスル」委任という場合、最も重要なことは、そこにはすべての有償委任がふくまれうるはずだということである（大正九年の前記大審院判決で扱われた契約関係もまさに有償委任であった[19]）。そうすると、およそ有償委任には民法第六五一条の適用がないということになるのであろうか。有償委任に同条の適用が否定されるからといってその「解除」が全く認められないことになるわけではもちろんないが[20]、そうだとすると、その「解除」の準則は何か。

この問題に関しては、実はすでに裁判例が少なからず集積されてきている。以下、これらの裁判例をみてゆくことにしよう。

（1）　有償委任の「解除」に関する裁判例が最も多く出ているのは、宅地建物取引の仲介の領域においてである。一般に宅地建物取引の仲介は民事仲立の一種であり、しかも、仲介人は契約の成立のために尽力する義務を負担する（いわゆる双務的仲立契約）のが通常（たとえば宅地建物取引業法が報酬支払義務者を「依頼」者として規定していることなどを参照）であるから委任（準委任）の特殊類型であるといえる。(21) ところで、この契約を、依頼者は民法第六五一条によって「解除」しうるのであろうか。

民法第六五一条による「解除」を可能と解することは、仲介人は「解除」をうけた場合に原則として損害賠償を請求しえないとすることにほかならない。このことを明らかにしたものとして、昭和三十年の東京地裁の一判決をあげることができよう。その事件においては、不動産を売却しようとしたYが、該不動産の占有者Aに対する明渡請求訴訟の提起のための協力および該不動産の売却を不動産取引業者Xに依頼しておきながら、「〔右〕訴訟の第一審が全面的なYの勝訴に帰した後、その第二審が……和解成立によって終了し、間もなくAが……立退くことが明かになった時期」に「右和解成立までの間に不動産の価格が急激に上昇したという事情もあったので……本件委任契約を解除」したというものであるが、裁判所は、Xの損害賠償請求につき、つぎのような判示をしたのである。

「Xが本件物件を本件委任契約の約旨通りの価格で売却するためには本件家屋に居住する前記Aを立退かせることが先決問題であり、これが解決しない限りXの本件委任事務の処理も不可能な状態であったのでXとしてはYの前記訴訟に協力しつつ委任事務を果すことが可能になる時期を待っていたものである……。そうであるとすれば、Yとしては和解が成立したために右の解除をしたものではない……としても、前記の契約解除はなお客観的にみて受任者たるXにとって不利益な時期になされたものであると認めるのが相当である。そこで、Xが右の契約解除により損害を蒙った場合には、Yは民法第六百五十一条第二項により、Xに対し右の損害を賠償する責任があるといわなければならない。この点に関しXは、……契約解除によってXは得べかりし報酬を失った……と主張している。しかし、民法第六百五十一条第二項にいう損害とは、契約解除が相手方にとって不利な時期に解除されたことにより相手方が特に蒙った損害を意味するものであるから、不利でない時期に解除されても生ずるような損害はこれに含まれないものと解すべきである。ところがXの主張する報酬請求権の如きは、契約解除のなされた時期如何にかかわらず、およそ解除があれば常に失われるものであって（解除の時までに処理された委任事務についての報酬請求権が失われないことは当然である）、その喪失を以て契約解除が原告に不利な時期になされたことによる特別の損害となすことはできない。このような損害をも解除者に賠償させることは、委任契約を当事者が何時でもこれを解除できることとし、特に相手方に不利な時期に解除された場合にのみ、それによって生じた損害を解除者に賠償させることとしている民法の法意に背くものである。Xの主張は、本件契約解除によりXの報酬請求権が失われたことによる損害の賠償を求めるというにあり、ほかに右の解除によりXに何等かの損害が生じた旨の主張も立証もないのであるから、結局Xがその主張のような損害を蒙った事実は、これを認めるに由ないものといわなければならない」（東京地判・昭和三〇年五月一七日下裁民集九八九―九九〇頁）(22)。

ところで、世上しばしば、不動産取引業者から情報をとりながら業者を排除して取引する例がみられるが、こうした業者排除には二つの態様があり、仲介委託を「解除」して排除する場合とそうでない場合とが区別される。そのどちらにおいても、業者の排除は取引当事者が不当に仲介料の支払を免れるために利用される可能性をもっているが、もし仲介委託の「解除」が民法第六五一条によるものであるとすれば、右の判決にみられるとおり、取引当事者が仲介料を免れることは承認されざるをえまい。しかし、この結果は、多くの場合、不当である。多くの下級裁判所判決はこの不当な結果をさけるために努力してきているが、これはいわば当然であろう。では、その努力はどのような仕方でなされつつあるのであろうか。

上述のように業者の排除には二つの態様があって、この二つは区別されなければならないが、一応まず仲介委託の「解除」がなかった場合についてみておくと、これについては、すでに昭和二十八年に、建物およびその敷地の売却を依頼された業者が新聞広告によって現われた買受希望者に依頼者を紹介したところ両者間に業者の仲介を排して取引がなされたという事案において、

「宅地建物の取引業者が宅地建物の売買の仲介の委託を……受けた場合は、売買の相手方の誘引、売買条件の決定、契約書の作成、代金の授受並に所有権移転登記手続等売買完結に至る迄一連の事務を処理するのが通例であって報酬もそれによって支払われるのが普通である。ところが本件においては被告佐々木は原告に前示不動産の売却方を委託し、原告は委託に基き新聞広告等により買手として被告中山を得て之を被告佐々木に紹介したところ、被告両名は爾後原告の仲介を排して直接売買取引を完了したものであるが、斯様な場合に於ても原告の仲介により取引が成立したものとして被告両名は原告に対し相当額の報酬を支払うべきものとするを相当とする。蓋しそうでないとすれば、委託者は業者の設備、経験、手腕等を利用して売買成立の機縁を作らしめながら最後の段階に於て当事者の直接交渉によって容易に業者に対する報酬の支払を回避し得ることとなり、業者の出費労力に対し不測の損害を蒙らしめることとなって著しく信義誠実の原則に反するからである」

と判示した大阪地裁の判決（昭和二八年一二月二一日下裁民集一九二三頁）が出ている。そして、昭和三十年に至り、建物およびその敷地の売却を業者に依頼した者が業者を除外して売買をした事案において、

「当事者の一方が相手方に対し法律行為をすることを依頼し、相手方がその行為をしたことに対し、一定の報酬を支払うことを約束した場合に、この報酬について相手方の有する権利は当該法律行為の成立をその発

生要件とする一種の停止条件附の権利に外ならないから、当事者の一方が当該法律行為の成立を妨げたときは相手方は民法第百三十条によりその法律行為が成立したものとみなすことができるものというべきである。しかして、宅地建物取引業者に宅地建物の売買を依頼した者が、これについて業者を除外し直接他人とその売買契約をすることが、業者が依頼せられた売買をするのを妨げるものであることは論を待たないところであるから、被告が前叙のように原告に本件物件の売買を依頼して置きながら後に原告を除外してAと直接その売買契約をした以上、原告はその売買を自らしたものとみなして約定の報酬を請求し得るものといわなければならない。この結論は被告に酷に失するものと思われるかも知れないが、他人に売買を依頼するのは委任であり、被告において原告の介在を排除せんと欲するならば、被告は何時でも原告の損害を賠償してその依頼を解除して報酬請求権の発生を阻止することのできる地位にあったのであって、右報酬請求権の発生は被告がこの解除権を行使したことを主張も立証もしないことによるものであるから、被告はこの点については身から出た錆としてその不利益を忍ぶ外はないのである」

とした東京地裁の判決（昭和三〇年七月八日下裁民集一三五〇ー一頁）が現われた。後者にみられるような「条件説」ともいうべき解釈――他の領域ではつとに同種類の大審院判決がある（大判・昭和一二年七月六日判決全集四輯一三号四頁、また近くは最判・昭和三九年一月二三日民集一〇一頁）――は、仲介委託の「解除」がなかった場合に業者の正当な利益を保護するためのすこぶる巧みな構成である。同じ法的保護を志向した裁判例で、単に、

「被告〔依頼者〕の代理人Aは原告〔業者〕の使用人Bより本件土地建物の案内を受けその所有者であったC

に紹介せられるや、殊更右Bの介入を避けて右Cと直接交渉をなし売買契約を成立せしめるに至ったものである。しかしながらこのような場合においても、原告が一旦被告に対して本件土地建物の売買契約の機縁を作らしめた以上、その後原告が斡旋仲介を終局的に断念したとか或は報酬金請求権を放棄したとか等特別の事情が認められない本件においては、原告が最後まで仲介したことによって売買契約が成立したものと同視して、被告は原告に対して告示所定の報酬額を支払うべきものと解する」（東京地判・昭和三三年六月一三日判例時報一五七号二五頁）

とか、――同一の事案についての控訴審判決であるが――

「控訴人（依頼者）はAを代理人として宅地建物取引業者である被控訴人に対し、宅地建物の売買の媒介を依頼し……被控訴人の使用人Bの尽力により、数ケ所にわたり目的物件を物色した末、最後にCとの間に……売買の成立を見るに至ったものであるから、よし売買契約自体の締結については……関与し得なかったとしても、被控訴人は、宅地建物取引業者として、その依頼にかゝる媒介について、同人の側においてすることができたすべての尽力をなし、その結果を見たものというべく、その媒介行為の結果について報酬を得ることができるものといわなければならない」（東京高判・昭和三四年六月二三日下裁民集一三二八頁）

とかいうにとどまるものもあり、また、

「一般に宅地建物の取引を欲する者が業者に斡旋仲介を依頼する所以のものは自分の欲する取引の相手方を探索する労が省かれ業者に依頼している多数の顧客中より容易に自分の取引条件に合致した相手方を選択しうる便があるために他ならない。従って依頼者が業者から自己の求める物件の案内を受け取引成立の機縁を作らしめた以上は爾余の交渉段階において業者の介入を排除して直接交渉を始め取引を成立せしめた場合にも契約成立という結果がもたらされている限り仲介料を支払う義務がある。このことは民法第一三〇条の法理からも肯定されよう」（東京地判・昭和三四年三月三一日判例時報一八四号二一頁）

というふうな言い方をするものもあるが、ともかく、仲介委託の「解除」がなかった場合に関するこれらの判決はすべて前記「条件説」に最も適切な支柱を見出すものであるといえよう。(23)

では、仲介委託の「解除」があった場合についてはどうか。上記「条件説」を説いた昭和三十年の東京地裁判決は、みずからの結論を弁護しつつ「何時でも原告の損害を賠償してその依頼を解除して報酬請求権の発生を阻止することのできる地位」にありながらその挙に出なかった依頼者について「身から出た銹」を云々しているが、(24)依頼者は「何時でも……損害を賠償して……解除して報酬請求権の発生を阻止」しうるという命題については吟味が必要であろう。もちろん、右の命題は、この判決においては傍論として述べられているにとどまる。問題は、「解除」のあった事案に関する判決について検討しなければならない。

そこで具体的に裁判例をみることにすると、まず、同じ昭和三十年のつぎのような神戸地裁判決が注意される。事案は、業者が神戸営林署から土地購入の仲介を依頼され、候補地に同営林署事業課長Aを案内したあと、その一つであった本件土地の売却方依頼者木村の息子が兵庫県庁林務部職員にたのんで神戸営林署署長あての紹介状を入手し「被告木村がこの紹介状を持参して同営林署に赴き、Aに面談して、直接本件土地の売込みを始め、Aも本件土地がさきに原告〔業者〕から紹介を受けている土地……であることを知りながらも、右申入れに応じたため、被告木村と被告国（神戸営林署）との間に……原告を除外した新たな交渉が持たれるに至った」ところ「被告木村が……営林署を訪れた際、恰も同所に来合せた原告と出遭うに及んだため、仲介人を差置いて直接の交渉を始めている被告木村の態度を、原告が詰ったことから、遂に原告と被告木村との間には紛争を生じて、その場で同被告が原告に……委任契約を解除する旨の意思表示をなし……、被告国（神戸営林署）に於ても、Aが原告と被告木村との諍を目撃したことが因となって……同様に原告の仲介委託を拒絶〔解除〕するとの意思表示をなし、被告木村と直接に話合いを進め……売買契約の成立を見た」というものであるが、業者の報酬金請求につき、裁判所はつぎのように判示したのであった。

「委任契約は個人的な信頼関係を基礎とし、特段の事情のない限り、各当事者は、何時でも理由を示すことなく、その解約の告知がなし得るのであるから、……被告両者のなした前叙解除は固より有効である。よって進んで、かくして途中で除外された原告が、なお被告両者に対して、報酬を請求できるかについて、考えてみる。……鑑定証人……の証言並に原告本人尋問の結果によれば、宅地建物の取引業者が、その営業の範囲内に於て、売買の周旋を委託され、その委託事務の処理として売買の相手方を誘引し、以て売買成立の機縁を作れば、若しその後に至って、業者に別段の不信行為も無いのに拘らず、右売買の当事者がこれを排除して直接の交渉を始め、取引を成立せしめた場合にも、契約成立と云う結果が齎らされている以上、売買当事者から、自己が終始取引の完結まで関与したのと同様の報酬額を請求し得ることが、業者一般の慣行となっている事実が認められる。そうすると、このような慣行は、労力や費用を掛けて、売買成立の要点とも云うべき相手方の選定取次をなし、以て端緒を作り上げながら敢て結末に於て回避された取引業者の立場を斟酌する時、取引上の信義則に照しても、まさに相当と解されるから、本件に於ても、原告には何等特段の不信行為と目すべきものはない……からには、契約の成立と云う結果に対して、被告木村と被告国とは、原告が取引完了に至るまで終始斡旋したのと同様の報酬金を、同人に支払う義務を負うと云わねばならない」（神戸地判・昭和三〇年二月二二日下裁民集三二一一二頁）。

右の判決理由が「業者一般の慣行」に基礎をおいて展開されていることは明らかであるが、同じような例は昭和三十二年の東京高裁の一判決にも見られる。すなわち、会社を代理して取締役A・Bが業者に土地購入の仲介を依頼し、本件土地について値段の話合いをしていたところ、折れあえないので、現地調査後数日をへて業者に対し「本件土地買受のことをことわった」が、その後Aから本件土地のことをきいた同社の常務取締役Cが本件土地の所有者を知っていたところから直接交渉をして買い受けたという事案において、東京高裁はつぎのように判示した。

「控訴人会社が本件土地を買受けることができたその原因は被控訴人〔業者〕が最初AおよびBに本件土地

が売地となっていることを紹介し、実地についてその所在場所や現況を説明し、かつともに所有者の氏名を調査したためである……ところ、……不動産仲介業界にあっては、仲介業者にたいし買受の仲介を依頼し、その仲介業者から売買物件の存することを知らされて、現地を調査の後仲介業者に無断でその業者を介することなく直接その物件所有者と取引をし、これを買受けた場合、仲介人は買主にたいし、仲介手数料として売買価額の百分の五に当る金員を請求しうる旨の商慣習があることを認めることができ、被控訴人と控訴人会社との本件仲介関係はまさにこの慣習にあたる事実と認められる。しかして法律行為の当事者においてとくに反対の意思表示がないかぎり、右慣習にしたがう意思あるものと認めるのを妥当とするところ、本件においてはかような反対意思の表明ありと認むべき証拠はないから右慣習の拘束をうけるものといわなければならず、控訴人会社はこれにしたがい被控訴人にたいし前記売買代金百四十万円の百分の五にあたる金七万円を手数料として支払うべき義務あるものというべきものである」（東京高判・昭和三二年二月六日東京高裁判決時報民八巻二号三一—二頁（新聞四一号九頁の判決日付は誤植？））。

ところで、以上二つの判決は、ともに売買代金の五分にあたる「報酬」ないし「仲介手数料」の支払を依頼者に命じているのであるが、中途で有効に「解除」をした依頼者が、「解除」しなかった場合と同額の支払を義務づけられることには、疑問の余地があろう。少なくとも、有効に「解除」がなされたことによって免れた支出のようなものを控除しないのは不当ではないか、ということはいえそうである。そして、裁判所は、漸次、この種の考慮をするようになっていったように思われる。たとえば、宅地購入の仲介を依頼されて業者が依頼者夫婦のために登記簿の閲覧をさせたり売主方の玄関先まで案内したりしたあとで「解除」をうけ、その十日あまりのちに売買成立・登記経由をみた事案において、東京地裁が、

「原告〔業者〕は、たとえ被告〔買主〕とA〔売主〕との間に成立した売買は、被告が原告に対して土地買入れの委任を解除した後に成立したものであっても被告は原告に対し、昭和二十八年十月一日東京都告示第九九八号宅地建物取引業者の受ける報酬額につき定められた、本件売買代金百七十二万円の一割に相当する十七万二千円を報酬として支払うべきだと主張するから、この点について判断するに、土地建物を買いたい者が、それらの仲介を業としている者に対し、そのあっせんを依頼したときは、特に反証のないかぎり相当の報酬を支払う意思であったとみるべきである。而してその報酬額について合意があれば別だが、ないときは裁判所が諸般の事情をしんしゃくして決定すべきであろう。原告は前記告示に定められた標準によって十七万二千円を請求することができるというが、凡そ右告示は、専ら不当の金額を請求することのないように、取締ることを目的としてその最高限度額を示したに過ぎず、当然委任者がその最高限度額を支払うべきことを定めたものではないと解するのである。そこで裁判所は前記争いのない事実と弁論の全趣旨から判断して、その額は売買代金の百分の四に相当する六万八千八百円……」（東京地判・昭和三二年八月一五日判例時報一二六号一九頁）

と判示したのは、その一徴候であるといえよう。この判決は「告示は……最高限度額を示したに過ぎず」としていて、上記のような考慮は表面に出ていないが、つぎの判決になると、この点ははっ

きりしてくる。

「……被告〔会社〕が……Aを……代理人として……原告に対し……Bからその所有の本件ビル……の室を……賃借できるよう周旋の労をとってもらいたいと依頼し……、この依頼に基き原告が直ちにAと被告の社員……とを連れて本件ビルの内三、四階の部分を検分させ……B……に対して、被告において本件ビルの室を賃料一年分前払という条件で賃借したいという希望をもっている旨を伝えたこと、その后……原告がBから……被告の希望どおりの条件では被告に賃貸することができないという回答を受け、直ちに……被告にその旨を伝えたこと及びAが原告からのこの回答をきき、本件ビルの室を賃借することを断念する旨を原告に申し入れたことを認めることができ、……その后被告がBとの直接折衝によって本件室をBから賃料一箇月金五十二万円という約束で賃借したことは当事者間に争がな……い。……原告が被告の依頼によってした前記……の行為は原告がその営業の範囲内で被告のためにした行為に当る……から、被告は商法第五百十二条により原告に対して相当の報酬を支払う義務がある……。そうして……甲第二号証と原告代表者尋問の結果とによると、被告が原告の紹介によって始めてBにおいて本件ビル内の室の借手を探していることを知ったことが認められ、この認定を動かすことのできる証拠はないし、更に……の結果によると、東京都では建物の賃貸借の周旋に対する報酬が一般に一箇月分の賃料と同額と定められていることが認められ、この認定を動かすことのできる証拠はないが、以上認定した……事実及び本件諸般の事情……を参酌すると、この報酬額は金十万円が相当であると考えられる。よって被告は原告に対して金十万円の相当報酬を支払うべきであって、これを超える額についてはその支払義務がない」（東京地判・昭和三三年四月二二日下裁民集七一八ー七二〇頁）。

そして、ここにうかがわれるような見地については、昭和三十三年の広島高裁岡山支部の一判決によって詳細な理由づけが試みられるに至った。事案は、土地購入の仲介を業者に依頼したある運送会社の常務取締役らが、業者心あたりの土地へ案内されていった帰りに別の運送会社の売地札を見つけ、この土地の売値の調査、折衝方を依頼したところ、調査の結果、競争関係にある同業者ゆえに購入しえない見とおしが出てきたので、依頼者としては入手方を断念し、仲介委託を「解除」したが、その後ほかに適当な土地が見つからないので右の土地を入手するため右常務取締役がその職を秘し個人購入を装って交渉をはじめ、結局、両運送会社間にその土地の売買契約が成立したというもので、これについての業者の報酬金請求に対し、裁判所はつぎのように判示したのである。

「仲介業者が宅地建物の売買の仲介を委託された場合、仲介業者は自己の仲介により委託を受けた所期の売買契約が成立したとき、初て仲介に対する報酬が請求できるのであって、如何なる事由によるにしろ、所期の売買契約が成立しなかったときは、たとえその間に如何程の仲介労力を尽すところがあったにしても、それに対する報酬の請求はできないものと解すべきである。……しかし他面委託者は何時でも自由に仲介の委託を解除できるものと解すべきであるから、これを乱用し、仲介業者の労力手腕等を利用して十分に所期の売買契約成立の機縁を作らしめながら、業者に対する報酬の支払を回避せんがために、売買契約成立直前不当に仲介の委託を解除し、仲介業者を排除して、当事者間の直接交渉等により所期の売買契約を成立せしめるような場合もないとはいわれないが、かような場合には、その契約の成立自体は直接仲介業者の仲介に基くものとはいえないけれども、仲介業者は、信義則に照し委託の解除はなかったものとして、自己の仲介により所期の売買契約が成立したと同様の報酬が請求できるものと解すべきである。それでは右のような場合に、委託者において報酬の支払を免れるために仲介業者を排除するという悪意なくして委託を解除し、しかもその解除が仲介業者の責に帰すべき事由によったものでもなかったときは、如何に解すべきであろうか。この場合、中途で解除されたとはいえ、一旦仲介の委託がなされて仲介業者が多少にかかわらず仲介尽力をし、しかも所期の売買契約が成立したものである以上、仲介業者は委託の解除がなかった場合と同一の報酬が請求できるものと解するにおいては、委託者にとって甚しく酷に過ぎ初から仲介業者に対する仲介の委託を断念し、又はその有する解除権の行使をも無意味ならしめる結果を招来するであろう。だからといって、この場合には、仲介業者に何らの報酬請求権もないものとするにおいては、所期の売買契約成立直前に、委託者がその有する解除権を行使して適法に委託を解除することにより、仲介業者をして不測の損害を蒙らしめる場合が頻発するに至るであろう。さすれば右のような場合には、民法第六百四十八条第三項第六百四十一条の趣旨、取引上の信義衡平の見地からして、仲介業者は、その行った仲介尽力に対し、それ相当の報酬を請求できるものと解するのを相当とする。そして、本件においては、……被控訴会社が控訴人に対する仲介の委託を解除したのは正当の事由に基いたものであって、控訴人の全立証によるも、控訴人に対する報酬の支払を免れるため、控訴人の仲介を排除せんとして解除したものであることを認めることができないと共に、控訴人の責に帰すべき事由に基因するものでもないから、……被控訴会社は控訴人に対し、控訴人が本件売買契約成立に関し寄与した仲介尽力に相応する相当の報酬を支払う義務があるものといわなければならぬ。そこで、その報酬金額について按ずるに、その金額は売買成立に至るまで終始仲介の労をとった場合に受くべき当該宅地建物取引業法施行細則に定められた金額の範囲内（但し、当審証人……の証言によると、仲介業者において委託者との間に特約がない限り右細則によって認められた最高額を受けているのが業者間一般の慣行であることが認められると共に、本件について右特約の存した証左はないから、これが最高額の範囲内とするのが相当である）において、仲介委託を受けるに至った事情、目的不動産発見の経緯とこれが仲介の難易、仲介に当った期間とその間における有形無形の労力の程度、これによって裨益した委託者の直接間接の利益、その他各般の事情を綜合斟酌して定めるのを相当とすべく、……結局本件については……最高報酬額の十分の二……をもってこれが相当額と認定する」（広島高裁岡山支部判・昭和三三年一二月二六日高裁民集七五八―七六〇頁）。

しかしながら、この判決の理由のうち「民法第六百四十八条第三項第六百四十一条の趣旨……からして」という部分は、すこぶる曖昧である。「それ相当の報酬を請求できる」根拠としては上記二規定の「趣旨」のほかに「取引上の信義衡平の見地」もあげられているが、後者の援用は、裁判所が前者についてあまり自信がなかったためかもしれない。しかし――こういう形で一般条項がもちだされる例はしばしばみられるにせよ――ともかく「取引上の信義衡平の見地」だけではほとんど実際的な判断基準となりえないのであるから、「第六百四十八条第三項 第六百四十一条の趣旨」こそ決定的なものでなければならないであろうが、ここにいわれる「趣旨」の中には、合理的に考えてみて、どのようなものがもりこまれていると解すべきであろうか。

民法第六四一条は、「請負人カ仕事ヲ完成セサル間ハ注文者ハ何時ニテモ損害ヲ賠償シテ契約ノ解除ヲ為スコトヲ得」と定めている。ここにいう損害の賠償は、得べかりし利益すなわち報酬をカヴァーしうるものであるが、その場合、解除によって免れた支出の額を控除しなければならないことは、いうまでもないであろう。これに対して第六四八条第三項はどのような規定であるかというに、「委任カ受任者ノ責ニ帰スヘカラサル事由ニ因リ其履行ノ半途ニ於テ終了シタルトキハ受任者ハ其既ニ為シタル履行ノ割合ニ応シテ報酬ヲ請求スルコトヲ得」という法文からただちに知られるとおり、ここには、取得すべかりし報酬という観念を容れる余地はなく、ただ、契約の終了（将来にむかっての消滅）とすでに現実化した部分の報酬請求権の存続があるにすぎない。ところで、宅地建物取引の仲介の委託においては、少なくとも所期の契約の成立がないかぎり報酬請求権は全く発生しない（この点については異論をみない[25]）のであるから、仲介委託が「半途ニ於テ終了」したからとて「割合ニ応シ」た報酬を考えることは、本来、不可能なのである。そもそも、同じく一方的意思表示による契約解消でも告知としての構成を前提する第六四八条第三項と解除としての構成がとられる第六四一条とをひとまとめにして両規定の「趣旨」を云々したところに問題があるともいえるのであるが、以上に述べたところからおのずから明らかなように、当面の問題の処理のために無理なく依拠しうるのは第六四一条の規定であるといわなければならない。そして、昭和三十六年には、このことを明らかにする判決が現われるに至った。業者の周旋した建物の購入資金を調達しえなかったため仲介委託を「解除」した者がのちに他の業者から同一の建物を紹介され、今度は資金調達の見とおしがついてこの紹介に基き買受契約を締結したという事案において、

「宅地建物取引業者が不動産取引の媒介を引受ける契約は他人間の取引契約の媒介を引受ける契約即ち仲立契約であって、この契約の内容は、通常、受託者は契約の成立につき尽力する義務を負い、委託者は契約の成立に対して報酬を支払う義務を負うものであるから、媒介に必要な行為をしたのみでは報酬を請求し得るものではなく、そのために、その媒介にもとずき取引契約が成立することが必要であると解するのを相当とする。……商法五五〇条、五四六条はこれを前提として規定せられたものであり、……同法五一二条は仲立契約の締結に際し報酬の定がない場合にもその媒介行為により契約が成立した場合に報酬を請求し得ることを意味する……。通常の不動産取引はそれ自体は商行為でないから、かかる取引契約の媒介を引受ける仲立はいわゆる民事仲立であって右の商事仲立ではないけれども仲立行為の本質からみて両者を別異に取扱う理由はないから、民事仲立についても右商法五四六条、五五〇条の類推により前記のように解するを相当とする。……原告は本件のように売買周旋委託の解除があっても、それが周旋の途中であり、原告の帰責事由によるものでない上に、被告の所期の契約が結局において成立した以上原告は受任者として相当の報酬を請求できると主張する。しかし……被告は原告に対し、その委託後久しからざる昭和三三年五月ごろすでに買

取周旋の委託を解除し、原告もまたこれに同意したものであり、その後数カ月を経て成立した本件建物の売買はとくに被告が、原告を排してしたものでなく、その売買の成立と原告の周旋の間には直接間接の因果関係は存しないのであり、一方原告は本件建物の所有者の側からの売却委託が解除されない限り、仮りに被告からの買取委託が解除されたとしても他に自由に不特定の顧客を求めて売買成立を来たすべき機会を有したのである。これらの事情とさきに示したような仲立行為の本質とにかんがみるときは、仮りに原告と被告との右仲立契約が委任ないし準委任の関係にあるとしても本件には民法六四八条第三項の適用ないし準用はないものと解するのが相当である。この場合原告が報酬ではなく現に生じた損害の賠償を求め得べきかはなお問題であるが（民法六四一条参照）、本件において原告はこれを求めるものではない」

と判示した東京地裁判決（昭和三六年五月三一日判例時報二六四号二四—五頁）がそれである。

以上の検討によって、下級裁判所が妥当な処理方法に近づいてきた経過は明らかになったであろう。妥当な処理方法とは、仲介委託が仲立契約であることからくる修正を加えた上での民法第六四一条の準用なのである。第六四一条の準用によって依頼者は「何時ニテモ……解除ヲ為スコトヲ得」るのであり、そのかぎりでは第六五一条（第一項）におけると異ならないが、しかし彼は、相手方に対してつねに得べかりし利益の賠償をしなければならない。この場合、通常は、報酬額から「解除」によって免れた経費などを控除することになるが、取引成立直前に「解除」がなされたようなときは控除額がほとんどないことになろう。しかしまた逆に、受任者の尽力が所期の契約の成立をもたらす可能性の認められがたい状況のもとで「解除」がなされたときは、賠償を請求しうる額が案内費用のようなものの合計以上に出ないこととなりうると考えられる。

最近の裁判例に、

「……被告は、本件不動産の売買周旋委任契約を受任者である原告の不利なる時期において解除したものであるということができる。……しかして、本件不動産の売買価額が金四百万円であることは……当事者間に争いなく、したがって、土地建物取引業者である原告がこの取引に関し収受し得べき媒介報酬額は金十八万円であることは、宅地建物取引業法及びこれに関する原告主張の東京都告示並びに計算上明白であるから、被告は本件不動産の委任契約を解除したことによって、原告は、本来取得し得べかりし報酬額に相当する損害を蒙ったものと見るべきであるから、被告は原告に対し右金十八万円及びこれに対する……遅延損害金を支払うべき義務あるものということができる」

としたものがある（東京地判・昭和三六年四月二四日判例時報二六五号三〇頁）。「原告の不利なる時期」云々の措辞からみると民法第六五一条が念頭におかれているようにもみえるが、この判決は、同条にいう「不利ナル時期」の認定のできないような事案に関するものであるということだけから考えても、正しくは第六四一条の準用によって「取得し得べかりし報酬額に相当する損害」の賠償を命じたものであるとみるべく、そのようなものとして是認さるべき判決であるといってよい。また、業者の尽力による契約成立の直前

に仲介委託の「解除」があった事案で、

「宅地建物取引業者は、必ずしも、商法上の仲立人ではないが、仲立営業の本質に照らして、これを異別に取扱う合理的根拠はないから、商法第五百五十条、五百四十六条の類推により、その媒介により当事者間に契約が成立発効しなければ、報酬の請求をすることはできないものと解すべきである。しかし、他面、委託者は、何時でも、自由に仲介の委託を解除できるものと解すべきであるから、仲介業者の労力、手腕等を利用して、十分に初期の売買契約成立の機縁を作らしめながら、業者に対する報酬の支払いを回避せんがために、売買契約成立直前、不当に仲介の委託を解除し、仲介業者を排除して、当事者間の直接交渉により、所期の売買契約を成立せしめるような場合には、その契約の成立自体は、直接仲介業者の仲介に基くものとはいえないけれども、仲介業者は信義則に照らし、委託の解除はなかったものとして、自己の仲介により所期の売買契約が成立したと同様の報酬が請求できるものと解すべきである」

としつつ法定の最高額の約三割にあたる「相当報酬」の支払を命じたものがあるが（東京地判・昭和三六年一〇月二〇日下裁民集二四九六—一七頁（判例時報二七九号一七頁の日付は誤植？））、ここに「委託の解除はなかったものとして、自己の仲介により所期の売買契約が成立したと同様の報酬が請求できる」というのは、正確には、委託の「解除」がなかったら得られたであろう利益の賠償請求が第六四一条の準用によって可能である旨をいったものと解すべく、そのようなものとして、それは妥当な判決であったといえよう。ただ、これらの判決の解釈的構成には批判すべき点が残っており、今後こうした欠陥の除去されてゆくことが望まれる。

（2）　弁護士に対する事務処理の委託は、以上に述べた宅地建物取引の仲介の委託に類似している。ただ、前者については報酬に関する裁判例が少ない。その原因の一つは、おそらく、日本弁護士連合会会規『弁護士報酬等基準額』が「報酬支払の時期」を定めて「手数料」については事件依頼の時、「謝金」については依頼目的到達の時としつつ「依頼者が弁護士の責に帰することのできない事由で弁護士を解任し、弁護士に無断で依頼した事件を完結させ、故意又は重大な過失で依頼した事務の処理を不能にした場合、謝金の全額を請求できる」としているとおりの取引慣行がほぼ確立しているという点にあるであろう。最近の東京地裁判決に「第一東京弁護士会弁護士報酬規則……を事実たる慣習として、原告〔弁護士〕の報酬（手数料及び謝金を含めた趣旨に於て。）を決する一応の標準とすることを相当と考える」としたもの（東京地判・昭和三六年一月一七日下裁民集二一頁）があるし[(26)]、すでに昭和二十五年に、大阪地裁で、「委任者が代理人に無断で和解〔裁判外〕を為し、之がため訴訟が取下となり終了した」場合につき「……鑑定の結果によると、委任者の勝手の和解は委任者が故意に代理人の受託事務遂行を不能ならしめたのであるから受託事務は目的を達したもの、即ち成功と看做し得る。従って、この場合受任者は委任者に対し、報酬計算の基礎額の一割に該る成功報酬を請求することができる慣習が存在すること、一部提訴の場合でも委託事件全部につき和解成立したときは報酬額計算の基礎額はその委託事件全部の価額であることが認められる」とされた例がある（大阪地判・昭和二五年三月二五日下裁民集四〇六頁・この処理は「条件説」による処理とも理解されうるが、後者の先例としては既掲大判・昭和一二年七月六日、近くは東京地判・昭和三八年一一月二八日判例タイムズ一五七号七四頁以下がある）。

「解除」の場合についても、やはり前段所引のような内容の慣行が確立しているといえるように思われる。「解除」の場合について問題を一般的に扱ったものはないようであるが[27]、最近の東京地裁判決に、弁護士への委任に際して着手金を支払った依頼者がのちに委任を「解除」して着手金の返還を請求した事案につき、

「東京地方においては弁護士が受任した事件の処理に着手した後、その責に帰すべからざる事由により解任された場合には、着手金を返還しない慣習が存在することが認められる。しかして、前述のように、原告が同被告〔弁護士〕に右委任をし、着手金五万円を支払った際、右慣習によらない旨の特段の意図の存したことを窺知させる証拠のない本件では、原告に右慣習によるべき意思があったものと認めるのが相当であり、又……同被告は、右受任後解任されるまでの間に……〔受任事務処理のため〕調査を開始したことが認められるところ、その後、原告は同被告に対する前示委任契約を解除したが、その解除の理由が原告としては、その主張するように同被告に対し信頼が措けないと考えたためであったにしても、客観的には同被告に、原告の信頼に背く所為乃至取引の通念に照らし解除の誘因があると思わせる事情を認め得る証拠のない本件では、原告の委任契約の解除は、被告新作〔上記弁護士〕の責に帰すべき事由に基くものではないと云わざるを得ないので前述の慣習により同被告は、本件着手金五万円を原告に返還すべき義務はないものというべきである」

として請求をしりぞけたもの（東京地判・昭和三六年一二月一八日下裁民集一二巻九九三頁）があることは注目されてよい。この事件において受任者が着手金を返還しないでよいのは、受任者が受任事務は完全に履行されたものとみなして報酬請求権を主張しうるからなのか、それとも、報酬額をカヴァーしうる損害賠償請求権のために充当を主張しうるからなのか、必ずしも明らかでないが、少なくとも後者の構成のほうがすなおな構成であることは、疑いえないであろう。そして、この構成は、実は民法第六四一条の準用によっても導かれうるところのものなのであり、そのようなものとして、「慣習」への依拠が困難な場合にも用いられうるものである。第六四一条の準用によると受任者は報酬額をカヴァーする損害賠償請求権を与えられうることになるが、受任者が「解除」によって免れる支出の額はもちろん控除されなければならない。なお、委任者が「信頼に背く所為」その他受任者の責に帰すべき事由によって「解除」をする場合には、委任者の損害賠償請求権だけが問題になる。要するにこのような法命題の形成への萌芽が、着手金返還義務を否定した上記東京地裁判決の中にはひそんでいると考えられるのである。

（3）　有償委任の「解除」に関する裁判例としては、建物を賃料なしで使用させるとともに当該建物の管理ないし当該建物での営業を委託する契約に関するものも少なくない。このような契約関係は、往々にして、委任と使用貸借との混合したものというふうに捉えられるが、これは、一万円の時計の売買を一万円の贈与と時計の贈与とに分解するのと同じことになりかねない危険な把握である。そのような契約は、有償委任的要素と賃貸借的要素とをあわせ有する（もちろん両方の要素が同程度の場合もあり一方がより強い場合もあろう）特殊の（有償）契約であるのが通常であるというべきであろう。

このような契約の「解除」に関しては、すでに昭和二十六年に注目すべき裁判例が出ている。事案は、「(イ)本件建物〔被控訴人所有〕は、昭和二十三年八月末日まで控訴人ふくにおいてこれに居住して管理すること、(ロ)控訴人ふくが独身である間は、被控訴人が同人の生活を保証すること、(ハ)その間本件建物から上る家賃は、ふくの取得とする、という合意」に従って控訴人ふくが「本件建物に居住しこれを管理して来……、その後……控訴人照と婚姻し、爾後は両者でこの建物を管理して来たところ、昭和二十三年二、三月頃に至り、被控訴人の承諾を得ることなく、本件建物を無断改造して喫茶店営業を開業」したので被控訴人が「右事実を理由として……右契約解除の意思表示をなした」というものであるが、裁判所は「解除」の効力を認めてその理由をつぎのように述べた。

「控訴人は、……無資産の控訴人らに対しかかる改造を理由として契約を解除するのは解除権の濫用であると主張するが、……右無断改造の事実と、……被控訴人は、従来よりの病が悪化し、山口県庁の勤務先を辞し妻の外二男一女を擁し、今や郷里である小千谷町の本件建物に帰えり、これによって生計を立てるより外ない状態に陥り、昭和二十三年五月以来は本件建物に控訴人らと共に居住しつゝある事実、並びに控訴人らはいずれも壮年健康で、扶養すべき子供をもたない事実などを考え併すれば、被控訴人の右契約解除の意思表示は、止むを得ない行為で、控訴人らの主張するように権利の濫用であるとは解し難い。そして右の契約は委任、使用貸借に準じた一種の無名契約と解されるから、前記解除の意思表示によって消滅したものといわねばならない」（東京高判・昭和二六年八月七日判例タイムズ一九号七一頁）。

この判決は、右の契約を「委任、使用貸借に準じた一種の無名契約」と述べて、契約の把握につき、なお批判の余地を残しているが、しかし、その「解除」の許否については、使用貸借の告知に関する規定（第五九七条）の適用をも第六五一条の適用をも実質上しりぞけて「止むを得ない」事由があるから「解除」を認めるという形の処理をしているという点において、注目に値いするであろう。ただ、判決が上記契約を「委任、使用貸借に準じた」契約とした点については、何といっても不安の念を禁じえない。そして、昭和二十八年には、同じく契約の把握が妥当でなかったことから類似の事案で疑問の余地の大きい判断をした判決が現われた。すなわち、アパートの所有者がある者に「アパートを看守する傍ら貸間の賃借人の選定及びこれとの折衝、間代の取立、電燈及び水道料金の支払等本件アパートの管理に関する事務の処理」をすることを依頼するとともに「右管理の便宜のため、本件アパートの階下五畳半及び四畳半の二室を……居室として提供してこれに居住せしめ、無償でこれを使用させ」ることとし、管理人は「爾来前記二室に居住して本件アパートの管理に関する事務を処理して来たが、なお本来の職業たる洋服業を続けて来た」という事案において、所有者の明渡請求につき、裁判所がつぎのような判断をしたのである。

「被控訴人〔管理人〕が本件アパートの管理をするという委任事務の処理に関する報酬は前記二室を使用することによる利益即ち使用料に相当する関係にあるものとはいえるが、然しながら、被控訴人には別に本業があり、又本件アパートは比較的小さなアパートであるため、被控訴人としては専ら右アパートの管理事務に従事しなければならないような状態ではなかったものと推察され得るから、被控訴人の前記二室の使用関係は、いわば、そのアパート管理事務を遂行するという一種の負担付の使用貸借関係にあったものといわなければならない。……而して……控訴人と前記貸間の賃借人たる訴外A外六名の間においては、昭和二十二年二月から同年七月までの間順次裁判上の和解又は調停が成立し、同人等はいずれも昭和二十三年四月から昭和二十六年七月までの間に本件アパートから退去してその居室を明け渡すとともに、右明渡までの貸間使用料は直接控訴人が受領することとなったことが認められる。……従って本件アパートのうち被控訴人の居住する前記二室を除いては前記和解又は調停の成立により控訴人の直接管理に移ったものということができるから、控訴人は最早被控訴人を本件アパートの管理人とする必要がなくなったものというべく又既に認定した事実に徴すれば、本件管理事務の委任は控訴人の利益のためになされたものであると考えられるから、これにより控訴人は被控訴人に対し右委任契約を解除し得るものであって、その解除に伴い右委任契約に附随する前記使用貸借も亦これを解除することができるものと解するを相当とする。而して控訴人が昭和二十三年二月……原審口頭弁論期日において右委任契約並びに前記使用貸借契約解除の意思表示をしたことは記録に徴して明らかであるから、その後相当期間を経過した本件においては、被控訴人は……二室を明け渡すべき義務あるものといわなければならない」（東京高判・昭和二八年一一月五日下裁民集一五九一—一五頁）。

この判決は、管理人に「別に本業があり」アパートも小さいので管理人が「専ら右アパートの管理事務に従事しなければならないような状態ではなかったものと推察され得るから」本件使用関係は「一種の負担付の使用貸借」であるという奇怪な認定をした上、この契約関係を二つに分解して「被控訴人の居住する前記二室を除いては前記和解又は調停の成立により控訴人の直接管理に移ったものということができるから、控訴人は最早被控訴人を本件アパートの管理人とする必要がなくなったものというべく又……本件管理事務の委任は控訴人の利益のためになされたものである」としつつ委任の「解除」を認め（所有者が二室以外を直接管理に移す前提としてすでに「解除」が必要だったはずであるが）「その解除に伴い右委任契約に附随する前記使用貸借も亦これを解除することができる」という処理をしている。しかし、当事者間の関係は、二室の使用は「管理の便宜のため」のものであるという関連はありながら全体として一個の——（有償）委任的要素の強い——契約関係であるとみられるべきであり、そして、この契約は、委任的要素に焦点をあわせても、かの大正九年の大審院判決にいわゆる「事務ノ処理カ委任者ノ為メノミナラス受任者ノ利益ヲモ目的トスル」委任として、民法第六五一条によっては「解除」されえないものであった。判決は、「控訴人が……口頭弁論期日において右委任契約並びに前記使用貸借契約解除の意思表示をした……後相当期間を経過した本件においては、被控訴人は……明け渡すべき義務あ」りとしているが、一体この契約の「解除」はどのような規準によって承認されたのであろうか。この点は、この判決においては不当にも明らかにされなかったのである。

しかし、その後、問題を正しい軌道に導くような判決も現われてきた。そのようなものとして、たとえば昭和三十一年の福岡地裁の一判決をあげることができる。扱われた事案は、原告会社が賃借家屋に自社醸造酒類の販売店を開設して被告に経営を担当させることとし、「(イ)……営業名義人を被告とするが、営業権は原告会社に属すること(ロ)……販売品は原告会社製品を主眼とすること(ハ)……営業の損益は原告会社に帰属すること(ニ)……日常の経営は被告に委せられるが被告は一般的に原告会社の営業上の指示に従わねばならぬ(ホ)被告に背信行為があった場合原告会社はいつでも解約ができる等の契約」で営業が始められ、その後、累積した赤字の補塡等のため毎月二万円を原告会社の会計に払い込むことになってから被告の立場は「独立の受託経営者的」色彩を濃くしていたところ、たまたま、被告の作った梅焼酎が当局に摘発され、営業名義人を同店の会計係であった原告三島（原告会社の本件家屋賃借を斡旋した人物と姻戚関係にある）に変更する対策がなされたのを機に、原告三島が共同経営者として臨む意向をあらわにする等のことがあって、関係者間に感情的対立が生じたため、原告会社が被告に対し関係者の協調が得られるまで店舗を閉鎖するよう命じたが、被告が閉店後約二ヵ月たって「原告会社に……自己が実質上の経営者であるから……再び開店する旨通告し……擅に開店して独立営業を始めた」ので原告会社が「営業の再開を承認しないこと、店舗を……原告三島に引渡すこと、住居部分を明渡すことを申入れ」原告三島も「店舗、備品、什器、在庫品の引渡を求める旨通告した」というものであった。裁判所はこれについてつぎのように判示したのである。

「原告会社と被告との間に結ばれた本件店舗に関する契約は、準委任類似の契約であり、これが存立は当事者間に信頼関係が存することを前提とするものであると解すべきところ、……被告は一旦合意の上休業した店舗を何等正当の手続をとることなく、突如として一方的に再開する旨を原告会社に通告し、独立営業を開始したのであって、被告のかゝる措置は著しく当事者間の信義関係に背馳するものというべきであるから、かかる場合原告会社はこれを理由に契約解除をなしうべく、而して被告に対する前記引渡の通告は本件契約解除の意思表示をも包含すると解するのが相当であるから、右解除により被告は原告会社に対し本件家屋中店舗部分を明渡すべく、また住居部分は本来店舗経営上の必要から被告の使用が認められ、謂はば右契約の附款的な意味しかないものとするのが妥当であろうから、解約と同時にこれが使用の権限をも失い被告は原告会社に対し住居部分をも明渡す義務がある」（福岡地判・昭和三一年五月八日下裁民集一一七〇一一頁）。

そうして、昭和三十六年には、同じ線の上で問題をさらにくわしく論ずる判決が出現するに至った。男が所有家屋を賃料なしでメカケに使用させるとともに該家屋で旅館営業をさせてその事務全般をまかせ、その収益は自分の所得とし、経費をさしひいたその利益の一部を同女の生活費にあてさせるという関係に破綻が生じたことからおこった家屋明渡請求事件に関する、同年の大阪高裁の一判決が、それである。破綻というのは、男が某相互銀行との間に相互掛金契約を結び旅館営業による利益金をもってその掛金を女に払い込ませていたところ、女が勝手に男の名義の印を使用してその払戻金計約八〇万円を同銀行から受け取り、且つ自己の所得としたことから紛争を生じ、男が女を告訴し、両者間のメカケ関係も破綻し、女は旅館営業を続けながら男にその収支報告をしなくなる、というふうに発展していったものであるが、裁判所は、両者間の法律関係を「控訴人〔男〕が被控訴人花子に本件建物を無償で使用占有させて、諸種の法律行為及び事実行為を包含する旅館営業行為をすることを……委託したことに基づく、……双方の利益を目的とする一種の委任関係（営業上の計算あるいは損益はその双方に帰属し、他方旅館営業事務は被控訴人花子に帰属する。）と被控訴人花子の本件建物の使用貸借関係との結合した特種の法律関係」と解した上、男の家屋明渡請求についてつぎのように判示した。

「控訴人は……委任契約及び使用貸借契約の性質を併有する前示無名契約……を解約する旨の意思表示をし

たと主張するので考えてみる。……委任契約は、一般に委任者の利益を目的としてなされるものであって、その限りでは当事者の一方はいつでも任意に委任契約を解約することができるものである（民法六五一条）けれども、もっぱら受任者の利益を目的とするもの、あるいは委任者・受任者双方の利益を目的とする委任契約は、当事者の一方が任意にこれを解約することはできないと解すべきである。したがって、控訴人と被控訴人花子との間の前示契約については民法六五一条の規定は準用されず、控訴人はこれを任意に解約することはできないといわねばならない。しかしながら、前示認定によると、被控訴人花子は昭和二七年一二月頃勝手に甲野〔控訴人〕名義の印を使用し前示相互掛金契約上の約八〇万円の債権の支払を受けて控訴人より告訴されたものであり、同月以後被控訴人花子は旅館営業の収支報告をせず、かつその利益を独占しているのであって、控訴人と被控訴人花子との間の前示契約に基づく信頼関係は、被控訴人花子の右契約上の義務違反すなわち不信行為によって裏切られ、右契約上の法律関係の継続は著しく困難にされたものというべきであるから、控訴人は催告をしないでこれを解約することができるものというべきである」（大阪高判・昭和三六年一一月三〇日高裁民集六二四―五頁）。

この判決は、本件契約関係が全体として一個の有償契約であることを認めながら不用意にもそこに（無償契約たる）使用貸借の性質がふくまれているとしているので、その不用意な点を批判さるべきではあるにしても（使用貸借に関する民法の規定が全く顧慮されていないのであるから実質的には不当でないが、それを全く顧慮しないのなら「使用貸借契約の性質」を云々する必要はなかったのであるし、まさにそれを云々すべきでなかったのである)、この種の契約の「解除」に関する規準をはっきりした形で判示したという点において、注目さるべきものであったといえよう。

(13) もっとも、後者の判旨は、全体としては必ずしも明確でない。なお判例の読み方につき、末川博「委任の解除」民商法雑誌三巻(昭和一一年)六三四―五頁(↓同『続民法論集』一五八―九頁)参照。

(14) 近年の下級裁判所判決にも、宅地の管理を委任するに際し「民法第六五一条の規定する自由なる解約権の制限ないし放棄を定めた」特約につき、「右特約は……次に述べるいわゆる重大なる背信的義務違反を理由とする解除をまで否定する趣旨ではないと解するのを相当とし、そして委任契約はその性質上その存続中に、当事者の一方に信頼を裏切って委任関係の継続を著しく困難ならしめるような不信行為のあった場合には、相手方は将来に向ってこれを解除することができると共に、この場合には、民法第五四一条所定の催告は、これを必要としない」とした上、受任者の「管理状況報告義務の違反は、正に委任を継続し難き背信的義務違反を以て目すべきであるから、本件解除は有効であ」るとした例(東京高判・昭和三〇年四月二二日下裁民集七八一―二頁)や、支配人選任の契約に際し「正当の事由がある場合に合意によってのみ支配人を解任しうる特約」があった事案において、「右特約は民法第六五一条の規定(支配人の解任につき適用があること疑ない。)に基く自由なる告知権を制限しようとしたものであって、支配人を解任するにつき双方の合意と正当なる解任事由の存在とを要請したものであることと疑ない。しかしながら、支配人の権限のきわめて広汎なること及び営業主との間に高度の信頼関係の存することがその地位の存続の前提となっていることに鑑み、正当の解任事由あるにかかわらず営業主の一方的意思表示により支配人を解任することを禁止するような特約は無効であると認めなければならない。従って……右特約は、支配人解任につき正当の事由の存することを要求した限度においてのみ効力を有するものというべきである。しかして、ここに正当の事由とは、選任当時とは事情に変更を生じ、あるいは、やむことを得ざる事情の発生したることをいうと解するのを相当とする」とした例（青森地判・昭和三二年四月一一日判例時報一二五号一八頁）がある。

(15)　たとえば、大判・大正四年五月一二日民録六九〇—一頁（なお同・同年六月一八日民録九八一頁、同・大正六年一二月一二日民録二〇八八頁）、同・昭和五年四月一五日評論一九巻民六六六—七頁、同・同年一〇月一〇日新聞三一九八号七—八頁、同・昭和七年三月二五日民集四六九頁（なお同・同年三月二九日民集五一九頁）、同・同年五月一一日新聞三四一三号一一頁、同・同年六月一七日新聞三四四八号一〇頁、同・同年一二月二〇日新聞三五一二号一四頁、同・昭和九年九月一二日民集一六六四—五頁、同・昭和一〇年一〇月一日新聞三八九八号一〇頁、最判・昭和三〇年一〇月二七日民集一七二一—二頁（これら恩給〔等〕担保に関する判例の構成そのものの当否については論議があるが、今は立ち入らないでおく）。

(16)　この契約は、末川・註13所引論文六三九頁（↓同『続民法論集』一六二頁）において「取立金を弁済に充当することを内容とする混合契約」とみられているが、これは、この契約を、担保または弁済のためにする債権取立委任（この場合には委任者は受任者に対する債務者）と誤解したものである。この契約においては取立報酬が弁済に充当されるのであり、委任者は受任者に対する債権者であった。

(17) たとえば大判・昭和七年三月二五日民集四六九頁。

(18) 判決は、委任は「委任者ト第三者及ヒ受任者トノ間ノ他ノ契約」に「基因」するものとみている（破棄差戻後の東京控判・大正六年七月二六日新聞一三〇八号二九頁も同じ）が、前者は、それと後者とを包括する一個の契約関係の不可分的一部をなすものとみられるべきであった。同旨、我妻・註8所引書六九三頁。

(19) なお、同じ第三民事部判決である前出大判・大正六年一月二〇日は「委任カ民法第六百五十一条第項規定ノ如ク各当事者ニ於テ何時ニテモ之ヲ解除シ得ルハ委任カ専ラ委任者ノ利益ヲ図ル為メニノミ与ヘラレ受任者カ好意ヲ以テ委任事務ヲ処理スヘキ場合ニシテ……」（民録七二頁）として民法第六五一条が無償委任の場合にのみ適用さるべきものであることをすでに暗示している。

(20) 念のためにいっておくが、民法第六五一条で重要なのは、第一項だけではない。契約を「何時ニテモ」解消させうる旨の規定は他にもたくさんある。第六五一条第一項は、同条第二項と結合したものとして重要なのであり、大正九年の大審院判決は、そのようなものとしての第六五一条につき「事務ノ処理カ委任者ノ為メノミナラス受任者ノ利益ヲモ目的トスルトキハ委任者ハ同条ニヨリ委任ヲ解除スルコトヲ得サル」旨を判示したのであった。同判決に対し「報酬の有無によって解約の能否を決すべき根拠はない」（明石三郎「不動産仲介業者の法的地位について」民商法雑誌三四巻〔六号、昭和三二年〕八九五頁）と論じた例がみられるが、この判決は「解約の能否」一般などを論じてはいないのである。第六五一条の適用の有無を論ずることが「解約の能否」を論ずることになるなどと考えてならないことは、いうまでもないであろう。

(21)　同旨、明石・註20所引論文八八四―五頁、有斐閣刊『民事法学辞典』〔昭和三五年〕一七六〇頁（明石「不動産仲介業」）・一五六六―七頁（長谷川雄一「仲立営業」）、西原寛一『商行為法』〔昭和三五年〕二八一頁・二八八頁、我妻・註8所引書六六二―三頁、など。

(22)　同趣旨の先例は多い。たとえば、東京地判・大正元年一二月二六日新聞八八九号二四頁、その控訴審判決である東京控判・大正五年六月六日新聞一一七〇号二七頁（その上告審判決が前出大判・大正六年一月二〇日）、大阪控判・大正三年七月一八日新聞九六四号二八頁、長崎控判・大正一一年一月一六日新聞一九五六号二二頁。

(23)　ちなみに、以上に引用した下級審判決のうち、最後のもの以外は、宅地建物取引業法第一七条による告示で定められた限度額どおりの報酬請求権を認めたのに対し、最後の東京地判・昭和三四年三月三一日や、東京地判・昭和三五年三月二九日判例タイムズ一〇六号五一頁は、告示額の範囲内で相当額を認定すべきものとする立場をとっているが、今はこの問題に立ち入ることをひかえる。

(24)　有斐閣刊『民事法学辞典』一七六一頁（明石「不動産仲介業」）に、委任を「解除」したのち業者を除外して直接交渉により契約を締結した場合にも手数料請求権が認められるとしつつ本判決を引用してあるのは、判決の誤読によるものであろう。本判決は「解除」があった場合を明らかに別論としている。

(25)　明石・註20所引論文八九〇―一頁（もっとも同「委任と報酬」契約法大系Ⅳ〔昭和三八年〕二五八頁

は論旨不明瞭)、西原・註21所引書二八九頁、松岡誠之助・ジュリスト一五二号九四頁、山崎悠基・ジュリスト二二〇号七六—七頁、鴻常夫・ジュリスト二六四号一三〇頁、我妻・註8所引書六六三頁、など。判例上も(既出の判決にもその例があるほか)、東京地判・昭和三五年一一月九日判例時報二四五号三一頁以下や、のちに該当部分を引用する東京地判・昭和三六年五月三一日、同・同年一〇月二〇日、など。最判・昭和三八年二月一二日判例時報三二五号七頁も同旨に帰着する(同誌解説は誤り)。

(26) もっとも、当事者間に別段の合意がなかった場合の報酬額に関する一般的基準については、最判・昭和三七年二月一日民集一五九—一一六〇頁(そこでは、福岡弁護士会所定の報酬規程を「報酬額を定めるについて……一資料として参酌」した原判決が是認されている)が穏当であろう。

(27) 前出大阪地判・昭和二五年三月二五日は、明石・註20所引論文八九九頁で解任の場合に関するものと説明されているが、これは判決の誤読によるものである(ちなみに、似た問題を有する弁理士報酬に関しては、「原告の所属する弁理士会において……特許事務標準額の定めを為し弁理士に右標準額表記載の如き事件を委任し、その手数料、謝金につき当事者間に特約なき場合には弁理士は委任者に対し右標準額所定の手数料及び謝金を請求し得べき慣例の存すること及び委任者が委任事務完了前受任者を解任したるときはその事務は成功したるものと看做し、右標準額に従い謝金の請求を為し得べき慣例の存することが認められる。従って被告及び黒川がその共有に係る特許権の権利範囲確認の審判請求事件の抗告事件を原告に委任中、原告に無断で確認の審判請求の目的たる特許権を他に譲渡したる場合には解任の場合に準じ、原告は右抗告事件が被告及び黒川勝訴となりたるものと看做し、前記標準額に従い被告及び黒川に謝金の請求を為し得るものと解するを相当とする」とした大阪地判・昭和二六年九月一九日下裁民集一一一七頁がある）。もっとも、かつて大審院が結論的なことを伏せつつ述べたつぎのような一般論は、注意されるべきものであろう。「原審ハ弁護士ノ手数料ハ一審級ニ於ケル訴訟事務ノ受任ヨリ該審級ノ完結ニ至ルマテノ事務ニ対スルモノニシテ受任ノ当初ニ於テ債権発生シ仮令中途ニ於テ委任カ解除セラルルモ弁護士ハ全額ノ請求ヲ為シ得ヘキ慣習アリト判定シタリト雖凡ソ弁護士ニ訴訟事務ノ委任ヲ為シタル後委任者ノ一方的意思表示ニ依リテ之ヲ解除スル場合ニ在リテハ其ノ之ヲ解除スル事情固ヨリ其ノ揆ヲ一ニセス（一）弁護士カ未タ全然事務ノ執行及其ノ準備ヲモ為ササルニ当リ委任ヲ解除スル場合（二）弁護士カ未タ其ノ事務ノ執行ヲ開始セサルモ其ノ事務開始ニ付相当ノ準備ヲ為シタルニ拘ラス委任者カ信義ニ反シテ擅ニ委任ヲ解除スル場合（三）弁護士カ其ノ事務ヲ開始シタルモ委任ノ本旨ニ従ヒテ事務ノ遂行ヲ為サス又ハ事務ノ遂行ニ忠実ナラサルニ因リ委任ヲ解除スル場合（四）弁護士カ委任ノ本旨ニ従ヒ其ノ事務ノ全部又ハ一部ヲ執行シタルニ拘ラス委任者ノ任意ニ依リテ委任ヲ解除スル場合等条理上手数料全額ノ請求ヲ是認シ又ハ排斥スルヲ可トスヘキ諸種ノ場合アルニ拘ラス尚且叙上一切ノ場合ヲ通シテ常ニ其ノ全額ヲ請求シ得ルモノナリヤ否即原審ノ所謂慣習ハ果シテ右ノ如キ内容ノモノナリヤ此ノ点ニ関シ原審ハ何等ノ説明ヲ為ストコロナシ即本件ノ如キ事案ニ在リテハ宜シク右ノ慣習ノ内容ヲ明確ニシ若右慣習ニシテ一切ノ場合ニ於テ全額ノ請求ヲ認容スルモノナリヤ否若然ラストセハ本件ハ如何ナル場合ニ該当シ従テ如何ナル場合ニ対応スル慣習ヲ以テ規律スヘキカヲ判断スヘキニ拘ラス原審カ茲ニ審及セサリシハ審理不尽ノ違法アルモノ……トス」（大判・昭和四年一一月二五日新聞三〇六九号一六頁）。

三

以上、委任契約の「解除」に関する判例の展開を跡づけたわけであるが、われわれは、こうした判例の中にどのような法命題を見出すことができるであろうか。

最も重要なのは、債権の取立を委任するとともに取立高の一割を報酬として受任者に与える旨を約した契約――有償委任の一種――を機縁として樹立されたところの、「事務ノ処理カ委任者ノ為メノミナラス受任者ノ利益ヲモ目的トスル」委任には民法第六五一条の適用がないという法命題である。

では、この種の委任ないし一般に有償委任の「解除」は、どのような条件のもとに認められるのか。

特に顕著な判例の発展がみられる宅地建物取引の仲介の領域では、そこで問題となる委任の（民法典起草者のいう）「理由ナシノ解除」（「何時ニテモ」できる「解除」）は――委託が仲立契約であることから一定の制限があるほかは――請負契約の場合につき「請負人カ仕事ヲ完成セサル間ハ注文者ハ何時ニテモ損害ヲ賠償シテ契約ノ解除ヲ為スコトヲ得」と定めた民法第六四一条に従う（準用）とする法命題が形成されつつあるといえよう。そこでは、契約の解消それ自体はいつでもなしうるのであり、そのかぎりでは民法第六五一条（第一項）と異ならない。しかし、「理由ナシノ解除」をする委任者は相手方に対してつねに履行利益の賠償をしなければならず（もちろん既述のように賠償額は報酬額に等しいとは限らない）、その点で第六五一条（第二項）とは異なるわけであるが、これはもちろん妥当な扱いというべきであり、そして、これが他の類似の委任類型にも及ぼされることは自然なことであろう。なお、委任者が受任者の責に帰すべき事由によって「解除」する場合には委任者の損害賠償請求権だけが問題になりうること、いうまでもない。

建物の使用が対価（その全部であれ一部であれ）となっている委任に関しては、委任者の「解除」は受任者＝建物使用者の「不信行為」すなわち当該契約の基礎たる「信頼関係」の破壊があった場合にのみ認められるという法命題が形成されようとしている。この法命題が、宅地・建物の賃貸借の「解除」に関して形成されてきているもの[28]と同一であることは、説明を要しないであろうが、これまた妥当な扱いであるとされなければならない。

ところで、有償委任に関しては、さらに、それと雇傭との区別がしばしば困難であるということを判例がみずから示しているという事実に、注意する必要がある。そのような判例の一つである昭和十四年の大審院判決には、すでにふれておいた。最近では、証券会社の外務員の契約関係を雇傭と認定して民法第六二七条による告知（解約申入）を認めた名古屋高裁の判決に関し、労働基準法を

かかげての上告をしりぞけて最高裁が、

「右契約は内容上雇傭契約ではなく、委任若しくは委任類似の契約であり、少くとも労働基準法の適用さるべき性質のものでないと解するを相当とする（原判決はこれを雇傭契約と言っているが、右は単にその法律見解を述べたに過ぎないものと解すべきである）」

と判示した例（最判・昭和三六年五月二五日民集一三三二頁以下）をあげることができよう。この事件においては、結局、有償委任の「解除」が民法第六二七条によって認められたことになるが、要するに、委任には雇傭との差異がすこぶる微妙で後者との間に境界線をひきがたい類型のものがあり、そのような委任の「解除」は雇傭の告知に関する規定──「理由ナシノ解除」（「何時ニテモ」できる「解除」）については「当事者カ雇傭ノ期間ヲ定メサリシトキハ各当事者ハ何時ニテモ解約ノ申入ヲ為スコトヲ得此場合ニ於テハ雇傭ハ解約申入ノ後二週間ヲ経過シタルニ因リテ終了ス」と定めた民法第六二七条（上記最高裁判決の場合を参照）、その他の「解除」については「当事者カ雇傭ノ期間ヲ定メタルトキト雖モ已ムコトヲ得サル事由アルトキハ各当事者ハ直チニ契約ノ解除ヲ為スコトヲ得但其事由カ当事者ノ一方ノ過失ニ因リテ生シタルトキハ相手方ニ対シテ損害賠償ノ責ニ任ス」と定めた第六二八条（既掲昭和一四年の大審院判決の場合を参照）(29)──に従わしめる（準用）のが妥当なのだということを、われわれは承認しなければならないと考えられる。

判例の検討に立脚して一般的立言を試みるなら、委任には民法第六五一条の適用されない類型のものがあり、これらの委任の「解除」は、請負型のものについては民法第六四一条が、雇傭型のものについては民法第六二七条・第六二八条が、なおまた不動産に関する委任事務の処理に受任者の当該不動産利用が結びついているようなものについては上述のような賃貸借の「解除」に関する準則が、それぞれその準則として用いられるべきである（なお、「解除」が「将来ニ向テノミ其効力ヲ生ス」るものであるかぎり民法第六四八条第三項の適用がありうることはいうまでもない）ということになろう[30]。それと同時に、民法第六五一条がそのまま適用されてよいのは無償委任についてであるということになり[31]、そして、無償委任は、そのようなものとして、諾成契約とはされているが法的拘束力のきわめて弱いものとなるわけである[32]。このようにして無償委任に適用さるべきものとしての民法第六五一条は、通常いいならわされているように委任が当事者間の特別の「信頼関係」を基礎とする契約であるということを根拠とするものではなく、無償委任が本来的に完全な法的拘束力を附与されがたい種類の社会関係であるということに基くものであるといわなければならない[33]。同条第二項の定める損害賠償責任の要件が非常に厳格なのも、同条が無償委任について適用される規定であり、賠償責任は受任者の無償約束に対する委任者の正当な信頼を保護するために機能するものにほかならないということを念頭において考えれば、少しもふしぎではないということになるであろう[34]。

委任の「解除」について以上のような扱いをするということは、いうまでもなく有償委任の「解除」を制限するという意味をもっているが、後者を雇傭型の場合、請負型の場合というふうに分けて扱うことは、たとえば雇傭型の委任に労働基準法を適用するとかしないとかいうような問題とはさしあたり関係がない。民法第六五一条を有償委任の場合に適用しないということは、一般に近代契約法のいわば市民法的要請にほかならないのであり、有償委任の「解除」に関して雇傭型・請負型というふうな類型化に立脚した取扱をするというのも、第一次的には、代理商契約とか会社と取締役との関係とかいったような各類型の社会関係に応じて法律がその「解除」を特別に規定している（一末段を参照）のと同様の市民法的取扱を志向している（もちろん、有償委任に対する市民法的取扱への要請が、はじめから有償委任一般について出てくることなく、有償委任のあれこれの類型ごとに出てくるということは、きわめて自然であって、たとえば宅地建物取引の仲介の領域で昭和三十年ごろからそれが出てきたのは、宅地建物取引業が、おそらく宅地建物取引業法の制定を画期として、マックス・ウェーバーのいう意味で「合理化」してきたことの結果であるといえよう[35]）。どのような労務供給関係に労働基準法を適用すべきかというような問題は、別の次元の問題であり、そして、与えられた枚数をすでに超過している本稿では、その論述をひかえざるをえない[36]。

民法第六五一条の法命題が委任一般に妥当するものでないことは日本でも（判例上）他の諸国に

おけると同様になってきているという事実を明らかにし、委任という概念で包括される各類型の労務供給契約についてそれぞれ「解除」の準則が何であるかを判例の中に検討するというのが、本稿に予定した論述の範囲であった。以上をもって予定の論述を終えたので、判例の一そうの明確化を期待しつつペンをおくことにしよう。(37)

(28)　本書一七一頁以下、拙著『借地借家判例の研究』〔昭和四〇年〕三一一三九、参照。

(29)　なお、東京地判・昭和三四年五月一二日労民集六三六頁以下――債権取立の委任において月ぎめ報酬の支払があった場合（雇傭型の有償委任）に、取立が進捗しないのみならず債務者が受任者を忌避したので委任者が「解除」した例――をつけくわえておこう。

(30)　ちなみに、来栖三郎『債権各論』〔昭和二八年〕一六〇頁では、請負型の有償委任、雇傭型の有償委任というような類型化の操作をぬきにして漠然とある有償委任に雇傭的取扱も請負的取扱も与えられてよいように説かれているが、私は、本文に述べたような類型化の操作が必要であると考えるし、判例もまたその方向を指し示していると考える。

(31)　来栖・註30所引書一六〇頁、牛尾茂夫・椿寿夫・山下末人『全訂債権法概説』〔昭和三三年〕一三七頁も、断定的ではないが同旨。なお、無償委任に関しては、民法第六五一条は強行規定と考えてよいのではないかと思われる。もっとも、無償委任において同条に反する特約がなされることは実際上ないであろう。

(32) これは契約法の一般理論にそっている。一般に目的物の引渡がなければ契約の目的が達せられない種類の契約は、それが無償契約であるかぎり要物契約として法的保護の対象となる(本書五一―三頁・六一頁以下、同旨、山中康雄『契約総論』〔昭和二四年〕一三四頁以下、来栖・註30所引書一九九頁、於保不二雄「無償契約の特質」契約法大系I〔昭和三七年〕七六頁・七八―八〇頁)のであり、無償委任を要物契約として規定する(そうすると事務管理に近づく)ことすら可能であったろう(来栖「契約法の歴史と解釈」法学協会雑誌六四巻〔昭和二一年〕四七九頁の、「我が民法」でも「委任は諾成契約と定義されてゐるが……これは委任の性質上要物契約として取扱ひ難いからで」ある旨の見解――玉田弘毅「無償契約の特質」法学教室六号〔昭和三八年〕一〇七頁も同旨――は、必ずしもあたるまい。解釈論としてすら、「無償委任は、委託事務の処理に現実に着手したときに始めて法的拘束力を生ずる、と解して然るべきではあるまいか」とする於保・上掲論文八〇頁のような見解もあるくらいである。もっとも、私は、日本民法典の体系的理解として、一般に無償約束には民法第五五〇条を類推適用すべく、ただ無償委任の場合には第六五一条があるので第五五〇条の類推適用が不要であるにすぎないとみるべきものと考える)。

(33) つとに、「第六五一条の特質は、……客観的には已むを得ない事由があるとはいへぬやうな場合にもなほ解除が許されるといふ点に求められねばならぬ」とした末川・註13所引論文六二五頁(→同『続民法論集』一四八頁)の卓見がある(もっとも、同『債権各論』〔第二部、昭和一六年〕三二六頁は起草者の説明と同じ)。

(34) 民法第六五一条第二項所定の損害賠償を履行利益をカヴァーするものとみる(上出東京地判・昭和三

六年四月二四日はその例か）のは誤りであり、学説上、この点で反対のものはない。なお、無償約束に対する信頼の保護についての包括的研究は、日本では未成熟であるが、それについてはアメリカでの研究（Restatement, Contract § 90, Agency § 378 がその触媒となっているように思われる）が参考になるであろう（その例として、註12所掲論文、なお註11所掲論文）。

(35)　ちなみに、有償委任の「解除」について民法第六五一条の適用を否定し他の有償契約に関する規定を準用するということになると、一般に医療契約や個人教授契約の「解除」は雇傭に関する第六二七条または第六二八条の規定に従うということになろうが、一方が解消を欲すれば他方も継続を欲しないのが通常であるようなこの種の契約においては、一方が契約の解消を欲するに至ったこと自体を第六二八条にいわゆる「已ムコトヲ得サル事由」と認めうる場合も少なくないであろう。しかし、一方（特に受任者）が契約の解消を欲しても、それが相手方にとって時期的に不都合であれば「解除」原因たる「已ムコトヲ得サル事由」ありとは必ずしもいえないと解さるべく、また「已ムコトヲ得サル事由」があって「解除」した場合に損害賠償責任が発生しうるという点において、第六五一条によるのとは異なる。――なお、一般に有償委任の「解除」を雇傭型の場合、請負型の場合というふうに分けて扱うというなら、むしろ正面からそれを雇傭なり請負なりと認めてしまって必要に応じ委任に関する規定を準用することにする立場のほうがよいのではないかという考え方もありうる（たとえば宅地建物取引の仲介も、通常は請負であるといってしまうほうがすっきりするという面も、たしかにあるのである）。ドイツ民法典の立場（註8参照）は、まさにこの立場を徹底させたものにほかならない。

(36) さきに最判・昭和三六年五月二五日民集一三二二頁以下を引用したので、この判決に一言ふれておく必要だけはありそうであるが、今は、それを批判する近藤正三・民商法雑誌四五巻〔六号、昭和三七年〕九〇四頁以下、浅井清信・法律時報昭和三七年三月号一〇三―四頁、山本吉人・季刊労働法四五号〔昭和三七年〕八九―九〇頁（なお片岡昇・民商法雑誌四八巻〔昭和三八年〕一二七―九頁）に賛成しうる旨をしるすにとどめる。

(37) 本稿で扱った問題の法解釈学上の意義については、本書五七頁註43前段に示唆したところを参照。

第二　「契約の自由」とその制限——おぼえがき

一

「契約の自由」とは何か。

「契約の自由」は、契約を締結すると否との自由、相手方選択の自由、契約内容の自由、契約方式の自由などをふくむとされるが、それは、ひと口でいえば、資本制経済＝社会における「自由競争」の原理の法的表現である。もちろん、資本主義の基礎的条件として現われたところの「自由競争」を支える法律上の基本原理は、それにつきるわけではない。何よりもまず起点をなすものとして「所有権の自由」があり、また、「自由競争」を背後から保障するものとして不法行為法における「過失責任の原則」があげられる。これらは「契約の自由」とあわせて近代財産法の三大原則とよばれることもあるが、「契約の自由」は、いわば正面から「自由競争」を保障するものなのである。

「契約の自由」がそのようなものである以上、それには、それに内在する制限がある。たとえば、前資本制的ないわゆる高利貸資本の活動を抑制するために機能すべき高利制限立法は、そうした内在的制限の一つにほかならない。また、たとえば「公ノ秩序又ハ善良ノ風俗ニ反スル事項ヲ目的トスル法律行為ハ無効トス」とした日本の民法第九〇条の中にも、そのような内在的制限が定められているものと理解すべきである。日本の民法第九〇条にあたるドイツ民法の第一三八条では、他人の窮迫・軽率・無経験に乗じていちじるしく不相当な財産的利益を約させる行為は無効である旨が特に附言されているが、こうした規制が「契約の自由」の内在的制限を意味していることは誰の目にも明らかであろう。これらはすべて「契約の自由」の内在的制限あるいは本来的限界を示したものであり、いわば「契約の自由」という盾の裏側にすぎない。だから、たとえばワイマール憲法第一五二条が「契約の自由」と暴利の禁止および良俗違反の行為の無効とを同時に規定したのは、盾の両面を述べたにすぎなかったのである。

しばしば「契約の自由」と同じ意味をもたせて「私的自治（の原則）」という言葉が用いられるが、「私的自治」は「法律行為の自由」を意味し、「契約の自由」のほかに「遺言の自由」や「社団設立の自由」をもふくむ。こうした広汎な「自由」は、資本制社会においてあらゆる財貨が商品としての性質を帯びつつ個人（法的人格）に対し排他的に帰属せしめられていて帰属者の「意思」をとおしてのみ移転せしめられるという仕組みになっていることからくるものである。しかし、帰属者の「意思」をとおして移転せしめられるのは商品なのであり、そして商品は、交換されるものとしての性質を本来的に内包するものであり、そして商品交換は、契約＝「自由な意思の合致」という法的形態をとおしておこなわれるものなのであるから、「私的自治」の本来的内容を形づくるものは「契約の自由」であるといわなければならない。「社団設立の自由」はもともと「資本団体（会社）設立の自由」として出現したものであるかぎりにおいて機能上も「契約の自由」の延長線上のものであるといえようが、「遺言の自由」は、「契約の自由」とはその機能を異にし、ただ「所有権の自由」という基盤を共通にしているにとどまる。そしてまた「契約の自由」それ自体も、上の説明から明らかなように、契約一般ではなくて実は商品交換の法的形態たる契約ないし一般に有償契約をその担い手とするものなのである。このように考えてくれば、ここに「自由」とよばれているものも決して人間の恣意の全面的な支配を意味するものではなく、商品交換を支配する経済法則すなわち価値法則から自由なものではありえないということ、むしろ価値法則が人間の「意思」をとおして貫徹される場合に「自由」が観念されるにすぎないということも、[(1)] 明らかになるであろう。

（1） 本書三七頁参照。

二

資本制経済＝社会は、抽象的な「人」（法的人格）に対してすべて平等に認められる形式的な「契約の自由」をもたらすと同時に、あれこれの具体的な人間ないし企業（経済主体）について契約の実質的非自由をもたらし、且つ発展させた。

何よりもまず問題となるのは、賃労働をしようとする者にとっての非自由であろう。彼が締結しようとする契約、つまり雇傭＝労働契約においては、相手方の「意思」が支配した。資本制経済の発展のはじめの段階における、この分野での「契約の自由」の歴史的役割は、非常に重要である。ところで、「契約の自由」のもとに資本蓄積競争の渦中で進行する労働者の地位の劣悪化は、それぞれ一定の条件のもとに、労働者の間に自主的な労働運動を発生させ、また、国家にその対策を要請した。後者（そこには労働運動対策への要請もふくまれる）はさしあたり視野のそとにおくとして、前者、すなわち自主的な労働運動の発展は、労働者の団結および団体交渉（そして労働協約の締結）その他の団体行動を通じて、労働者の側における実質的自由の獲得を導くことになるが、同時にこれによって、労働契約における形式的な「契約の自由」は制限される結果となる。なお、労働者は特に住生活の局面においても契約の実質的非自由の生成・発展に直面せざるをえなかった。

契約における実質的非自由を発展させる要因としては、資本の間の「競争」が指摘されなければならない。

一般に、資本の間の「競争」は、諸種の契約の定型化ないし標準化をもたらし、さまざまの程度のいわゆる附合契約（附従契約）[2]を発展させる。すなわち、ガス・電力などの供給、運送、保険といったような契約においては特に顕著であるが、多くの資本制諸企業が締結する契約においては、企業ないし企業団体の側で定型的な約款（いわゆる普通契約条款）がつくられ、相手方は、多かれ少なかれ、その約款に従って契約を締結するかどうかというだけの「自由」を有するにすぎなくなってゆく。附合契約の中には、就業規則その他によって定められた包括的な労働条件に従って締結される労働契約をもふくめて考察しうるわけであるが、ともかく、附合契約の現象が企業の集中ないし独占の進展に伴ってその一方的性格を顕著にしつつ広汎化してゆくことはいうまでもないであろう。

ところで、企業の集中ないし独占の進展は資本制諸企業それ自体にとっての実質的非自由を発展させてゆくのであって、これまた資本の間の「競争」によってもたらされる実質的非自由である。資本制的独占は、かの「自由競争」の対立物として現われるのであるが、しかも決してそれを廃棄するものではない。それは、進めば進むほど、ますます大きな規模での「競争」を通じて、資本制諸企業それ自体にとっての実質的非自由を一そう押し進める。と同時にまた、それは、その力を全社会に及ぼし、全社会的な規模で非自由を一そう拡大・深化してゆく。

以上すべての非自由は、相互にからみあいながら発展し、これに対処する国家の立法措置が資本制経済＝社会の不可避的課題となるごとにそれを実現してゆくことになる。

（2） この言葉（contrat d'adhésion）の母国フランスにおけるこの現象についての論議の重要な一側面に関し、星野英一・法律時報昭和三四年三月号三〇頁、なお戒能通孝・同上四頁以下、参照。

三

「契約の自由」に対する立法的制限にはさまざまのものがあるが、以下、その主要なものを分野ごとにみてゆこう。

（一） まず第一に労働立法をあげなければならない。自主的な労働運動によって支えられないでも「契約の自由」を制限する労働立法は可能である（労働保護立法、労務統制立法）が、重要なのは、自主的な労働運動によって支えられる労働立法である。このような労働立法は、日本では第二次世界大戦後に発展した（その法制的基礎は憲法第二八条）。それは今日、「労働法」という独自の法領域を形成している。

（二） 都市における多数の労働者ないし小市民の生活の基礎としての居住を保護するための立法も、「契約の自由」を制限する立法として現われる。そのような居住の法的基礎は、一般に小規模住宅の賃貸借契約によって生ずる借家権であるが、この分野における「契約の自由」が借家人層の居住の不安定を招来して、資本制生産の円滑な運行を阻害し、あるいは一般的な社会不安をかもすようになると、「自由」を制限する立法（内容的には借家権の継続の保障および家賃の統制）がおこなわれざるをえなくなるのである。

日本では、大正十年に借家法が制定され、昭和十六年の画期的な改正[3]をへて今日に至っているほか、昭和十四年以来——内容上の変遷を伴いつつ——今日に至るまで家賃統制がおこなわれている。借家法は、まず、建物賃借権は建物の引渡によって第三者に対抗しうるものになるとした（引渡後に賃借建物の所有権を取得した者は、当然に従前の賃貸借を承継することになる）[4]。つぎに、借家法は、建物の賃貸人は「正当ノ事由」がなければ賃貸借の更新拒絶も解約申入もなしえないとし、また、たとえ「正当ノ事由」があって一度は賃貸借が終了しても賃借人が利用を継続するのに対して賃貸人が遅滞なく異議を述べないときは当然に更新がなされたものとみなすことにしている（期間の定めがあってその期間の満了の六カ月ないし一年前に更新拒絶の通知をしなかった場合も同様——いわゆる法定更新)。そのほかさらに、造作買取請求権の制度、すなわち賃借人の一方的な造作買取請求の意思表示によって賃貸人の承諾を要せず両者間に売買関係を成立させる制度を創設する等、借家法は借家人保護の諸規定を設けているが、それらの規定は借家人のために強行規定とされているのであって、ここには明らかに「契約の自由」に対する制限が見出されるわけである。ただ、日本では、借家法は、営業用建物の賃貸借にも(そのほか高級住宅の賃貸借にも)適用されることになっており、その点で、それは、労働者・小市民の生活の保障という「社会法」的な性格のみを有するものなのではない。純粋の営業用建物について適用をみるかぎりでは、それは、総資本の立場からする貸家資本と借家人の営業資本との間の利害調整という性格を有しているのである(いわゆる併用住宅においては以上の二性格が未分化のまま帯有されていることになる)。それに対して、家賃に関する「契約の自由」の制限としての家賃統制は、昭和三十一年七月からはおおむね小規模住宅についてのみなされるものとなっているので、その後は「社会法」的規制をおこなうものであるといえよう。(5)

ちなみに、住宅に関する「社会法」的規制には、以上のような借家立法とは別に、公営住宅に関する立法がある。(6) この領域では、住宅使用関係は附合契約として現われる。

(三) 建物を所有するために他人の土地を敷地に利用する権利としての借地権は、近代諸国では一般に物権として構成される権利になっており、且つ、このような権利が広汎に実用されている。借地権の物権的構成は、常識的にいえば、借地上に建物がたてられるということ自体の規定するところである。

ところが、日本では、土地所有の重圧が、物権として民法典に用意された借地権（用益物権たる地上権）の実用をはばんだ。こうして建物所有を目的とする土地の賃貸借が広汎におこなわれることになったわけであるが、当初は、当事者間の「情誼」ないし「温情的関係」が他の諸事情とあいまって不都合を生じさせないでいたといえよう。しかし、一方で地主の側に地租増徴・物価騰貴に対処する地代値上げの風潮が擡頭し、他方で借地人の側に借地権が一個の財産権＝商品ないし借地人の資本の構成部分になるという発展をみるようになると、紛争が社会的な大量現象となり、賃借権たる借地権を強化（「物権化」）する立法が招来されることになる。明治四十二年の建物保護法および大正十年の借地法（昭和十六年に重要な改正があった）はそのような立法であって、これにより、借地権が地上建物の登記によって対抗力を取得するものとなり（建物登記後に敷地の所有権を取得した者は、当然に敷地の賃貸借関係を承継することになる）[7]、借地権の存続期間について「契約の自由」が大幅に制限されるとともに更新請求権の制度や法定更新の制度が導入され、また更新をうけない借地人や敷地利用を賃貸人から拒否された建物譲受人には建物買取請求権が与えられることになった。

こうした借地人保護の諸規定は借地人のために強行規定とされており、これによって、建物所有のための土地の賃貸借については明らかに「契約の自由」が制限されることになったのである。

しかし、以上のような「契約の自由」の制限は、借家法にふくまれているような「社会法」的性格を有するものではない。それは、巨視的にみれば、一般に近代市民法が借地人に保障する種類の保護にほかならず、いわば、民法典の用意した地上権の制度が実用されなかったことに対処して用益物権の列に新しく「物権的」な宅地賃借権を加えたものなのである。ちなみに、いわゆる物権法定主義（日本では民法第一七五条）は、「契約の自由」を制限したもののようにいわれることがあるが、それは、本質的には「契約の自由」の静的側面たる「所有権の自由」を保障するものであり、それ自体としては「契約の自由」に対立するものではない。むしろ、たとえば用益物権たる地上権と同一の用益目的（たとえば建物所有という目的）を指向する契約（賃貸借契約）について内容決定の自由があるかぎり「契約の自由」は最大限の尊重をうけているともいえるのである。ただ、土地の現実的利用の平面でいえば、土地利用権との関係における土地所有権の優位（重圧）は、土地所有権の制度がまだ資本制社会に適合的なものになっていない（まだ完全な近代化をみていない）ことを物語るのであり、土地利用権との関係における「土地所有権の自由」の制限としての宅地賃借権の「物権化」は、そのような意味で土地制度の近代化という線に沿ったものにほかならない。(8)

（四） 農地の利用関係においても、利用権を保護するための立法は「契約の自由」を制限する立法として現われる。

資本制的農業経営の発展がみられる社会においては、農地利用権の保護は、土地所有権に対する土地利用権の優位という近代的な土地制度を反映するものである。ところが、日本においては、農地利用権として広汎に存在する賃借小作権は、右のような意味で保護されはじめたものではない。日本で最初に小作権の強化を図ったものは、昭和十三年の農地調整法であるが、そこにふくまれていた小作権の強化（引渡によって小作権が対抗力を取得するものとし、土地取上げにある程度の制限を加えた）は、戦時における小作争議の回避、食糧生産の確保を目的としたところの、いわば「経済法」的性格のものであって、(9) 少なくとも小作権が広汎に資本の構成部分となったために必然となった種類のものでは全然なく、その根底には農地所有の前近代的性格が厳然として存在していた。第二次世界大戦後の農地改革の一環として実現され、昭和二十七年制定の農地法に承継された小作権の一そうの強化および小作料の統制は、いわば「社会法」的性格のものである。ただ、日本においては、農地法は、「社会法」的性格を有すると同時に農地関係を近代化する機能を有する立法である、という点に注意しなければならない（こうした二重の機能がみられる点は借家法においても同様である）。

（五）　さきに出てきた家賃統制（同一法令による地代統制も）や小作料統制は、法制上、昭和十四年に始まったものであって、当初は純粋にいわゆる経済統制立法として出現したものであるが、その当時には、周知のように無数の統制立法によって「契約の自由」が広汎に制限されていた。一般に、戦争（あるいは恐慌）の時期に現われるこのような統制立法は、そうでない時期には人間の「自由な意思」を媒介としておこなわれるところの価値法則の貫徹を、国家権力の強制を通じておこなおうとするものである。こうした立法は、本来、「自由」の恒常的な制限をふくんでいない。戦後、経済統制法令はつぎつぎに廃止され、今日なお残っているのは、その性格を「社会法」的なものに変えた法令だけである。「自由」の回復が売買法の領域で特に顕著であったことは、いうまでもないであろう。

（六）　もろもろの附合契約の発展は、それぞれの定型的契約条件をおしつけられる側の実質的非自由を押し進めてゆく。しかし、この非自由が、彼ら非自由者とりわけ労働者大衆の健康で文化的な生活をおびやかして、資本制生産の円滑な運行を阻害し、あるいは一般的な社会不安をかもすようになるのを放置することは、国家にとって危険な道である。このようにして、もろもろの定型的契約条件に関する種々の方式の国家的規制がおこなわれることになるのであり、ここに、それらの定型的契約条件を定める側にとっても非自由が発展することになる。日本においても、そのような国家的規制は今日すこぶる広汎におこなわれており、ほとんど枚挙にいとまがない。

（七）　資本の間の「競争」が、企業の集中を促し、独占をもたらすことによって、資本制諸企業それ自体にとっての実質的非自由を発展させることは、すでに述べたところであるが、資本制的独占は、資本制諸企業それ自体にとっての非自由のみならず全社会的な規模での非自由をも押し進めてゆくものとして、資本制経済＝社会それ自体にとって危険なものであり、資本制社会では、資本制的独占の生成とともにそれを規制する立法が必然となる。十九世紀末にアメリカで始まった反トラスト立法、第一次世界大戦後にヨーロッパの諸国で進められたカルテル助長政策に附随する弊害防止立法、第二次世界大戦後の日本の独占禁止法や西ドイツの競争制限禁止法やイギリスその他諸国のカルテル規制立法は、そのような意味をもつ立法であり、独占ないし独占行為を原則的に禁ずる立法の場合（アメリカや日本や西ドイツ）に特に明らかなように、こうした立法によって、多かれ少なかれ、旺盛な「自由競争」の回復、いいかえれば資本制諸企業にとっての「契約の自由」の回復、なかんずく中小資本にとっての実質的自由の回復・獲得が、企図されているわけである。

しかし、資本制的独占は、「自由競争」の対立物でありながら同時に「自由競争」によってもたらされるものでもあるのであり、独占を禁ずる立法もこの事態を根本的に変更するものではない。日本の独占禁止法がその改正ないし諸種の適用除外立法や各種の行政措置によって漸次「緩和」されていることは、その身近な例証である。

（八）「契約の自由」が本来的にもたなければならない限界を意味するところの高利制限立法については、さきに一言した。そのような高利制限立法は、前近代的な土地所有権にとっての「契約の自由」を制限する立法（前述）と類似した性格のものである。日本では、そのような高利制限立法として、明治十年以来、利息制限法がおこなわれており、[(10)] また別に取締法令の制定もなされている。しかし、資本主義の発展は、古典的な市民法に知られなかった公的な庶民（消費）金融や中小企業金融などの制度の創設を不可避的ならしめ、一連の低利金融立法を導かざるをえない（その強化された形態は無利子貸付の制度を創設する立法であり、その頂点は生活保護立法である）。

（3）この改正をどのような性格のものとみるべきかは争われてきた（近年の文献では、鈴木禄弥『居住権論』〔昭和三四年〕第一章、渡辺洋三「昭和一六年の借地借家法改正」法学協会雑誌七七巻〔三号、昭和三五年〕二三七頁以下、水本浩「借家法の性格」民商法雑誌四四巻〔三号、昭和三六年〕三九〇頁以下）。私は、借家法第一条ノ二の新設を中心とする昭和十六年改正は、ファシズム体制の軌道の上でそれに適合的な法制を導入したものとみるので、渡辺・上掲の所説に近いが、そのようにみるべき根拠が渡辺・上掲では充分に説明されていなかったように思われる。右のようにみるべき根拠としては、「正当ノ事由」という新しい（その操作をぬきにしては明渡紛争の処理を考ええない）一般条項の新設（本書一一頁註9所引のヘーデマンの著書の副題に敬意を表していえば〔近代の〕法および国家にとっての危険）、その一般条項を導いたところの、それがあると「調停法ノ運用モ非常ニ楽ニ、円滑ニ行クノヂャナイカ」という権力の側の期待（第七六回帝国議会貴族院借地法中改正法律案特別委員会議事速記録・昭和一六年二月一日、三頁）、および、こうした期待の線で一年後に実現された借地借家の領域における「調停に代わる裁判」の制度の導入（戦時民事特別法）があげられなければならない。最後にあげた「調停に代わる裁判」は時に「強制調停」とよばれるが、それは、その本質において調停ではなく、裁判と同類型の紛争処理方式であり（強制調停の語は労働関係調整法第一八条第四号・第五号による調停のようなものをさすのに用いるのが妥当である。紛争処理方式の類型論として拙著『法と裁判』一二七頁以下、なお一四三頁参照）、そのようなものとして、まぎれもないファシズム法制であった（ちなみに、最決・昭和三五年七月六日民集一六五七頁以下の違憲判断を参照）。ただ、借家法第一条ノ二は、それ自体ファシズム法であったのではなく、その運用の仕方によってファシズム法としての機能をいとなみえたのであり、したがって、その規定が戦後どのような機能をいとなんできたかということは全く別個の問題である（本文に述べるのはもちろん今日の法状態）。

（4） 判例（たとえば最判・昭和三三年九月一八日民集二〇四三頁）。

（5） 同旨を説くものとして、水本・註3所引論文四二八頁、渡辺『土地・建物の法律制度』〔中、昭和三七年〕六〇〇頁。

（6） もっとも、いわゆる経済家賃体系がおこなわれるかぎり、それは「社会法」的なものとはいいきれない。くわしくは渡辺・註5所引書四九一頁以下、参照（ちなみに、公営住宅使用関係に関する同書七〇四頁以下の論述には賛同しがたい部分がある。この点につき、拙稿・法律時報昭和三七年七月号七六頁、参照）。

（7） 大判・大正一〇年五月三〇日民録一〇一三頁以下。

（8） 「近代的土地所有の原則からみるならば、効力において土地所有権は利用権の侍女的地位に止まるべき」旨、水本・法律時報昭和三二年三月号二四頁。なお渡辺『土地・建物の法律制度』〔上、昭和三五年〕三頁以下。

（9） 本書一四〇―一頁、参照。

（10） 明治一〇年太政官布告第六六号利息制限法については民法典起草委員らの強い廃止論があったが（日本学術振興会謄写『法典調査会民法議事速記録』三一巻一〇三丁以下・一五一丁以下、なお梅謙次郎『民法要義巻之三』〔歿後の版も〕二五頁は「是ハ早晩廃止セラルヘキヲ信ス」という）、こうした有力者の廃止論にもかかわらずそれが存続したことは、利息制限法が本文に述べたような性格をもつものであることと無関係ではないと考えられる。もっとも、利息制限法（昭和二九年法律第一〇〇号のそれも）そのものは、そのような性格の立法として徹底したものではない。拙稿「利息制限法はどのような性格のものか」（幾代・鈴木・広中『民法の基礎知識』〔昭和三九年〕一一五頁以下）参照。

四

以上、契約における実質的非自由の発展が国家の立法措置を促すことを一般的に示唆したあとで「契約の自由」に対する諸種の立法的制限を概観したわけであるが、これは結局、契約法の現代的状況の概観であった。今日、契約法の重点は、抽象的な「契約の自由」を制限する具体的な諸特別法の中にあるのだから。

制限のもつ意味を理解するためには、まずもって、前近代的な社会関係の近代化を意味する種類の制限と、近代化のあとに資本主義の一定の発展段階において不可避的になる種類の制限とを、区別して考えることが、必要である。具体的には、一つの社会に二つの種類のものが同時に存在しうるし、右の二つの性格を併有する立法も少なくない。しかし、近代契約法における「自由」の制限が世界史的に重要な意味をもつのは、いうまでもなく、資本主義が一定の発展段階に達すると「自由」の制限が――しかも（固定的ではないが）恒常的な制限が――不可避的となってくることによってである。このような制限の中核をなすものは自主的な労働運動によって支えられる労働立法であり、その周辺に、人民大衆の「生存権」的要求に応ずる他の「社会法」的諸立法が位置する。

この種の制限は、それが資本制社会で実現されているものであるかぎり、それ自体として「契約の自由」の廃棄に通ずるものでは決してない。「自由競争」の原理的否定（それは生産手段の私的所有の否定を前提する）がないかぎり、それらの諸制限の底には「契約自由の原則」がよこたわっている。しかし同時に、それらは、「契約の自由」の対立物にほかならないのであり、そして、この対立は、抽象的・形式的な「契約の自由」を貫徹しようとする側の力とそれを拒否する側の力との対抗関係を反映するものにほかならない。契約法――諸特別法をふくむ最広義の契約法――の解釈（判例・学説）も実は右の対抗関係の中でそれぞれ一定の役割を演ずるものなのであり、近代法という共通の地盤の上での諸解釈の対決（前近代的な社会関係に特有の、たとえば「共同体」思想のようなものを、一般条項の形で、あるいは「信義誠実の原則」というような既存の一般条項に依存しつつ解釈の場にもちこむ試みが現われることもある）[(11)] をふくむ社会的諸力の対抗関係のうちに、自由をめぐる闘争がおこなわれているのである。

(11)「共同体」思想については、本書六頁・五四―六頁、参照。

あとがき

□

私は、本書を世におくるにあたって、私が本書所収の各論稿を書くようになったいきさつ、さらにまた、それらを本書のような形でまとめるに際しての私の気持といったようなものを、簡単に記しておきたいと思う。

ふりかえってみると、私が契約ないし契約法に関心をもつようになったのは、学生時代の終りごろ、研究室に残りたいという気持になって、助手採用願に添付するための論文をまとめはじめてからであった（論文を添付するかどうかは各自の任意であったが、私は論文を添付することにした）。

その時に私がきめた論文のテーマは「消費貸借の要物性」というのであったが、正直なところ法律学なるものにあまり興味を感じていなかった私にとっては、法律学の論文を書くということはたいへんな仕事であった。それまでのぞいてみたこともなかった東大法学部の図書室にかよって、私はまず、講義で教えられた日本の学者の論文と、関係のある判例とを、ひとわたり読んでみた。特に石坂博士の「要物契約否定論」（本書七〇頁註18所引）は、ともかく熟読したという記憶がある。ところで、かたかなをもって書かれた濁点のない文章は、私に、自分は法律学の勉強をしているのだという奇妙な実感を抱かせたが、それだけに、それらが私の興味を少しもそそってくれないことは、法学部の研究室に残ろうと考えている私を少からず不安にした。しかし、私はさらに、石坂博士の論文に引用してある外国の文献を読んでみることにした。そして、これが、私にとっては、契約ないし契約法の問題に関心をもつに至るきっかけとなったのであった。

私が特に興味をひかれたのはコーラーの一論文であったということを、私は今でもおぼえている。もちろん私が当時どの程度まで理解できたのかは疑わしいが、そこに、同じく消費貸借といっても Geschäftsdarlehn と Freundesdarlehn とが（利息附のものと無利息のものとが）区別さるべきで前者は諾成契約とすべきものなのだという意味のことが書いてあるのを読んだ時（Josef Kohler, Archiv für bürgerliches Recht, Bd. 33, 1909, S. 20）、私は非常に気に入って、わが意をえたような気持になった。自分なりに苦心して何とかまとめあげた論文の最後のあたりに、私はコーラーのその部分の言葉を引用した。

当時の稚拙をきわめた論文が特に役立ったとは思えないが、一九五〇年四月、ともかく私は研究室に残ることになった。私は、研究室に残ってから二年あまりは、法律学の書物らしいものをほとんど全く読まず、マックス・ウェーバーのものを読んだり、それに促された形でさらに古代社会や未開社会に関するいろいろな学者の著述を読みあさったりしていたが、あの論文を書いた当時の、同じく消費貸借といっても利息附のものと無利息のものとは別のものなのだという理解は、いつも頭のどこかにひそんでいたような気がする。このような理解が、もっと一般的には、有償契約と無償契約とはそこに存在する社会関係の質からいって全く別のものなのだという理解に連なるものであったことは、いうまでもない。三年目の六月になって、私はあわてて助手論文にとりかかったが、「契約とその法的保護――その一　歴史的発展」という題で助手論文をまとめはじめてからも、上記のような理解はしばしば私の頭を去来した。

□

契約ないし契約法に関する私の関心は、元来は以上のような過程をへて形成されたものであったが、本書に収めた論稿のうち、第二部の第一稿は、まさにそのような関心が形成される機縁となった問題についての、私の研究の一応の報告に、ほかならない。

助手採用願に添付するためにまとめたあの稚拙な論文を書きなおして、もう少しましなものにしておきたいと、私は何度か思いながらも、その余裕と機会を得ないでいた。ところが昨年、『法学セミナー』に「法律学一五〇講」中「消費貸借」の項を依頼され、一つには上記のような〝宿題〟をこの機会にはたしておこうという気持から、もう一つには学生諸君のための講義案を書かないでいる私の《せめて消費貸借の部分だけでも》という気持から、これを引き受けた。本書第二部の第一稿は、こういういきさつで同誌八月号に書いたものの中から、「消費貸借の成立」と見出しをつけた部分だけを抜いてきたものなのである。執筆の事情が以上のようなものなので、論述が簡単に過ぎるきらいもあるが、このたびはほとんど全く手を加えなかった。

第一部の第一稿は、さきに述べた「契約とその法的保護——その一　歴史的発展」と題する私の(未完の)論文と、関係がある。右の論文は、一九五四年秋の『法学協会雑誌』第七二巻第一号にその第六回目が掲載されたが、その後まもなく妻の病気のために続稿の完成は中断されざるをえなくなった。たまたま一九五五年の春、私は有斐閣の『法哲学講座』の中に「現代実定法の基本問題」の一つとして「契約」の執筆を依頼され、上記のような事情もあったので、完成のおくれることが予想される右の論文の総括の部分のために一つのおぼえがきを書いておきたいという気持から、これを引き受けることにした。このようにして『法哲学講座』第八巻〔一九五六年〕のために書いた私の論稿をそのまま収録したのが、第一部の第一稿である。この論稿の中ではローマ法に関する論述がドイツ法やイギリス法と比較して特に詳細になっているが、これは、それが同稿の論述全体との関連で重要な問題を少からずふくんでいるということに基いているほか、一九五五年秋の比較法学会の「無償契約に対する法的保護の歴史に関する比較法的研究」の共同報告*のうちのローマ法の部分を依頼されてその報告の際にぜひ論及したいと考えながら妻の入院のために参加できなくなってそのままになった問題を、この機会に立ち入って扱っておこうと考えたことに基いている。少くともイギリス契約法の歴史に関しては今度の機会にもっと詳細な論述が加えられてもよいように思われたが、このたびは、ほとんど手を入れなかった。

* これは、比較法学会編『贈与の研究』〔一九五八年〕としてまとめられた。その書評を『法学協会雑誌』に依頼されているので、近く拙評を執筆の予定。〔↓同誌第七五巻（第六号、一九五九年）七六六頁以下〕。

第二部の第二稿は、昨年『ジュリスト』三月十五日号と『法律時報』十月号とに別々に書いた二つの論稿を一つにまとめたもので、これを書いたいきさつは、以上に述べた二つの論稿のそれとはかなり異っている。昨年一月末ごろ、その年の講義があと一回になった時になって、私は、この論稿の冒頭に紹介した最高裁判所の判決を読んだ。そして私は、すでに説明を終っていた民法第六一二条第二項の制限に関する三、四年来の判例との関連でこの判決に言及する必要を感じ、最後の講義時間にそれをしたわけであったが、時間が足りないためにそれがほとんどノートにとれないような早口になったので、この問題についてはあらためて雑誌に書く旨を学生諸君に約束した。その約束にしたがって『ジュリスト』に書いたのが、第一節および第二節の部分である。ところが、その論稿で扱った問題は「民法第五四一条と賃貸借」の問題に関係をもつものであったにもかかわらず、枚数が多くなりすぎるので、私は、その問題については別稿にゆずることをことわらなければならなかった。そして、もともとこの問題は、私の講義をきかれる学生諸君に講義案のないことの不便を感じさせる問題の一つでもあったので、いつか機会をみてこの問題に関する論稿を書かなければならないと考えていたのであるが、たまたま同年の夏『法律時報』に原稿を依頼されたのを機会に、この問題を、『ジュリスト』に書いたものの続稿として書いた。第三節および第四節の部分が、これにあたるわけである。二つの論稿は右のようないきさつのもとに別々に書かれたものなので、第二節までの論述と第三節以下の論述とは調子が多少ちがっているようにも思われたが、このたびはほとんど手を加えなかった。また、このたび二つの論稿を一つのものにまとめるに際して、これを書く機縁となった最高裁判所の判決に関する部分(第一節一)は削ってもよいのではないかと考えたが、これもあえてもとのままにしておいた。

□

本書に収めた各稿は、以上のように、それぞれいわば偶然の機会をえて別々に書かれたものである。

しかしながら、少くとも私の主観においては、本書は、偶然の機会にそれぞれ別々に書かれた諸論稿を単に契約法に関係があるというだけで便宜的に寄せ集めたにすぎないものでは決してない。本書は本書として、私の考えでは、独立の統一的な意義をもつものなのである。

それは、何よりもまず、本書の冒頭に記しておいたように、これらの論稿はすべて、「実践に奉仕することを直接に目的とする法解釈学」と「社会現象としての法現象――法の解釈という人間の実践行動それ自体もその中にふくまれるところの――の科学的分析を目的とする学問」(かりにこれを私は法社会学とよぶ)との二つをどのように遂行してゆくべきかという私の問題意識に支えられている、という意味においてである。私は、本書において、上記のような問題を正面から論ずることは特にしていない。そのような問題を論ずることは、また別の機会にまたなければならないであろう。しかし、本書は、ともかく全体として、そのような問題に関する私自身の一つの見解によって、貫かれているのである。本書の内容を、法社会学的研究それ自体が試みらるべき第一部と、法社会学的研究と法解釈学との結びつけ(より的確にいえば、法の解釈という実践の中に法社会学的研究を活かすこと)が試みらるべき第二部とに、分けてみたのも、そのような問題に関する私の考えをこれによって不完全にでも表わしておきたいという気持に発したものにほかならない。

さらにまた別の意味においても、本書は、契約法に関係のある諸論稿の単なる寄せ集めなのではなく、私にとっては一つの統一的な意義をもつものである。

さきにふれたように、私は、助手の時代に「契約とその法的保護」という研究テーマを選んだが、私は、これに関する論稿を発表しはじめた最初の時に、自分の計画を説明して、

「契約とその法的保護」という問題を分析するために遂行さるべき課題は、つぎの三つにわかれる。第一に、……契約とその法的保護を歴史的に跡づけ、その歴史的発展法則を明らかにすること。第二に、……第一の課題の遂行によってえられた諸成果の上に立って、現在の日本における契約の社会的実態を明らかにすること。第三に、第一の課題および第二の課題の遂行によってえられた諸成果の上に立って、日本の現行法（判例を含む）を説明し、解釈し、批判すること。——以上のような三つの課題の綜合的遂行の上に、「契約とその法的保護」という問題の分析、したがって契約および契約法の理論的把握が、ひとまず完結する。

と書いた（『法学協会雑誌』第七〇巻〔第三号、一九五三年〕一七九—一八〇頁）。ところで、上記「第一の課題」のために書きはじめた論稿（「契約とその法的保護——その一　歴史的発展」）は、さきほど述べたように第六回目までが発表されただけで続稿は未完成の草稿として手もとにとどめられたままになっており、いつごろ「三つの課題の綜合的遂行」を終ることができるかは、今のところ、はっきりした見当をつけられない状態にある。もともと「第二の課題」は、個々の論稿の集積によって

遂行してゆくことになろうと考えていたが、「第三の課題」のための論稿は、「第一の課題」のための上記論稿と同じような形で発表してゆきたいというのが、私の当初の考えであった。ところが、このような考えをいつまでも固持することは私の契約法研究の目標である「三つの課題の綜合的遂行」を遷延させるにすぎないという状態になったのである。そこで私は、「第一の課題および第二の課題の遂行によってえられた諸成果の上に立って、日本の現行法（判例を含む）を説明し、解釈し、批判する」という「第三の課題」もまた個々の論稿の集積によって遂行してゆく方が、目標到達のための近道ではないか、と考えるようになった。私が本書をまとめるに至ったについてはこのような考えもはたらいていたのであり、そのような意味において、本書は、「契約とその法的保護――その一」の続編としてまとめらるべき一つの体系的著述のためのノートという意義をも、もっているわけである。

私は、本書をまとめるに際して旧稿の論述にほとんど手を加えないことにしたが、そのかわり、註はできるだけ整備しようと心がけた。註を整備するということは、各論稿がはじめて発表された以後の新しい文献や判例に言及するためのみならず、はじめ発表した時に必ずしも充分に明示していなかった資料の出所をこの機会に明らかにし且つ枚数の都合からかつて言及をひかえていたことがらに言及するために、ぜひとも必要であった。この仕事は、私がはじめ予想していたほど容易な仕事ではなかったので、そのために原稿の完成が少からずおくれることとなったのであるが、しかしこれによって、各稿が以前より多少とも完全なものに近づき、内容からいっても本書が旧稿の単なる寄せ集め以上のものになりえたとすれば、私としては幸せである。

（一九五八年八月五日）

□

増訂（第三版）に際して——

一九六〇年に、初版を少し手直しした程度の第二版を出したが、このたび、二つの論稿を増補するとともに従前からの所収論稿にも多少の加筆をして第三版（増訂版）を出すこととなった。

増補したのは第一部の第二稿と第二部の第三稿で、前者は、髙柳真三・柳瀬良幹編『法学概論』〔一九六二年〕所収の「契約」と題する拙稿からその後半を抜いてきて註を附したもの、後者は、有斐閣刊『契約法大系』Ⅳ〔一九六三年〕所収の拙稿と『民商法雑誌』第四八巻第一号〔一九六三年〕所収の拙稿とを一本にまとめたものである。いずれも、ここ二年内に書いたものであるが、基本的構想においてはもっとさかのぼるもので、実をいうと、これらの論稿の増補は初版当時から私が頭に描いていた本書の構成を実現するものにほかならない。いわば、本書は今回の増補によってようやく形をととのえるに至ったわけである。もっとも、形をととのえたとはいうものの、目次はともかくとして、本文では、第一部の二つの論稿を離ればなれにするという不体裁をあえてした。これはもちろん、本書の旧版からの引用を他で読まれる読者の便宜を考えてのことである（初版以来の所収論稿の頁数は変わっていない。《はじめに》の末段を参照）。

本書は、私が同学の方々から多大の啓発をうける一つの機縁となり、私自身の研究活動を推進する上に重要な役割をはたしてきた。旧版に対すると同様、この増訂版に対しても大方の忌憚のない御叱正・御教示を賜わることができれば、学問に携わる者としてこれにまさるよろこびはない。なお、本書の刊行について種々の助言をいただいた有斐閣の新川正美氏、また初版以来ずっと面倒をおかけしている同編集部の江辺美和子さんに対し、この機会にあらためて感謝の言葉を申し述べたいと思う。

（一九六四年一月八日）

第四版へのあとがき

機会を与えられたので、技術的に容易な範囲での加筆をおこなった。昭和四一年法律第九三号による借地法の改正には註でも言及したい気持が強かったが、関係規定がまだ施行されていないということを考慮してそれは見送ってある。特に問題の大きい借地裁判手続に関する私見については、さしあたり、『法律時報』昭和四一年九月号二二頁以下の拙稿を参照されたい。

（一九六七年一月六日）

外国語索引

二度目から訳語で出てくるものについては訳語を附した。数字はページ数を示す（二カ所以上が示されている場合には，原則として，最初の場所にそれの訳語あるいは説明が附せられている）。

判 例 索 引

裁判年月日順（登載紙誌のページ数は該判例の見出しのあるページを示す）。右の数字は本書のページ数。

著者略歴

1926年　広島市に生まる
1950年　東京大学法学部卒業
現　職　東北大学法学部教授

主要著書・訳書

債権各論講義（上巻 1965 年，下巻 1967 年，合本改訂 1972 年）有斐閣
借地借家判例の研究（1965 年）一粒社
法と裁判（1961 年，新版 1971 年）東京大学出版会
民法論集（1971 年）東京大学出版会
法社会学論集（1976 年）東京大学出版会
契約とその法的保護（1974 年）創文社
H. ミッタイス・ドイツ私法概説（共訳，1961 年）創文社

昭和三十三年八月三十日　初版第一刷発行
昭和三十五年四月二十日　再版第一刷発行
昭和三十九年六月三十日　三版第一刷発行（増訂）
昭和四十二年三月二十日　四版第一刷発行
昭和五十一年十二月二十日　四版第四刷発行

契約法の研究〔増訂版〕

著作権所有

著作者　広中俊雄
発行者　江草忠允
東京都千代田区神田神保町二の十七
発行所　株式会社　有斐閣
電話　東京（二六四）一三一一（大代表）
郵便番号〔101〕振替口座東京六－三七〇番
本郷支店〔113〕文京区東京大学正門前
京都支店〔606〕左京区田中門前町四四

印刷　秀好堂印刷
製本　明泉堂製本所

契約法の研究［増訂版］（オンデマンド版）

2013年2月15日　発行

著　者　　広中　俊雄
発行者　　江草　貞治
発行所　　株式会社 有斐閣
〒101-0051　東京都千代田区神田神保町2-17
TEL　03(3264)1314(編集)　03(3265)6811(営業)
URL　http://www.yuhikaku.co.jp/

印刷・製本　　株式会社 デジタルパブリッシングサービス
URL　http://www.d-pub.co.jp/

AG778

ISBN4-641-91271-8　　Printed in Japan